Phébus *libretto*

PARIS

JEAN FOLLAIN

PARIS

Préface de
GIL JOUANARD

Phébus *libretto*

OUVRAGE PUBLIÉ AVEC LE CONCOURS DU
CENTRE NATIONAL DU LIVRE

Illustration de couverture :
Dégustation de friandises, 1937
Photo © Keystone France / Hachette Photos

www.phebus-editions.com

PRÉFACE

Qu'il soit le décor de romans ou de récits comme c'est le cas chez André Breton, chez Léo Malet, chez l'admirable Henri Calet par exemple, ou le sujet, voire le personnage principal de rêveries ambulatoires comme chez ces piétons considérables que sont Léon-Paul Fargue ou Jacques Réda, Paris a bien mérité de la patrie libertaire des lettres.

S'il est quelqu'un que l'on n'attendait guère au tournant de la célébration du grand mythe urbain, c'était bien le rusé et rural Jean Follain, que la rumeur a toujours eu tendance (quand elle s'avise de mentionner au passage le poète de Canisy, *de* Collège *ou de* Tout instant, *ce qui est fort rare) à confiner dans l'espace clos et supposé passéiste des jardins potagers du bocage normand et dans les ruelles à jamais disparues de l'ancienne Saint-Lô.*

Pourtant, ce Paris mythique, où l'Histoire et la légende ont entremêlé leurs onirismes respectifs, le jeune juriste normand, se préparant à l'investir (non pas à la façon de Rastignac, mais à celle du maquignon parti vendre du bétail sur le foirail de Laguiole), l'avait savamment, méthodiquement « repéré », mentalement cartographié, à partir des plans les plus minutieux. Au point, dit-on, qu'il savait par cœur à quel endroit précis (sinon à quel numéro) de telle rue telle autre fait irruption.

Cette approche cadastrale, bien dans la manière de notre méticuleux peseur juré du lexique, il l'avait soigneusement nourrie, gavée même, de cette imagerie récurrente dont nous régalaient autrefois les manuels scolaires dédiés à l'« Histoire de France ». Sainte-Geneviève, Jeanne Hachette, Étienne Marcel n'avaient qu'à bien se tenir : le juge Follain savait à tout moment où les débusquer !

Ainsi débarqua-t-il un jour sur l'un des quais de la gare Saint-Lazare, celle qui plonge ses racines dans le terreau fertile de la Normandie, et j'aime à supposer qu'il se dit in petto *: « Paris, à nous trois ! »*

C'est que, contrairement à ce que Danton pensait à propos de l'exil, Follain, lui, avait bel et bien emporté sa patrie à la semelle de ses souliers. Et c'est de cette fidélité à la fiancée (le troisième larron non dit mais omniprésent de l'exclamation ci-dessus imaginée), restée au pays qu'il témoigne dès le début de son Paris :

« *Un jour, je sentis que sous le pavé de Paris il y avait la terre, la vieille terre des propriétaires et des partageux* [...]. *Voilà ce que Paris nous apprend : ils sont pour durer, le ciel et la terre.* »

Et le voilà campé en quelques mots, le cadastre enseveli sur lequel l'enfant perpétuel (qui jamais ne sommeille en Follain, puisqu'il était en lui une mémoire perpétuellement en action au présent de l'indicatif) bâtira ses cabanes et ses champs de bataille, ses pampas et ses palais carolingiens.

Il savait tout dès son entrée en Seine. Il n'avait plus qu'à en inventorier et animer les attestations et, à la façon d'un René Char qui aurait lu Wang Wei plutôt qu'Héraclite, y collecter ces « traces qui font rêver » (dont lui, l'avocat, le juge pour enfants, savait qu'elles sont toujours plus fiables que les preuves).

Il se lança donc, non pas « à corps perdu » (car, le corps, il préférait le gagner à coups de banquets et de plats lentement mijotés), mais à pas comptés, de cet œil dont André Dhôtel me dit un jour devant le micro de France Culture qu'il n'était que faussement négligent ou distrait (en substance, l'Ardennais m'avait répondu : « Il semblait tout traverser sans rien regarder. En fait il voyait tout ce qui avait de l'importance et pouvait se traduire avec des mots précis, exacts, justes ; car son vrai regard transitait par le prisme du langage ; et c'est de cette précision lexicale qu'il faisait l'épaisseur même de sa poésie… »). C'est cet œil laser que masquait aux regards des observateurs peu vigilants sa trogne de gourmet livré en quasi-permanence aux lois anesthésiantes de la digestion !

En fait, donc, Follain voyait tout, entendait tout, enregistrait le moindre crissement de gravier, le moindre chuintement de robinet, le moindre souffle de vent. Et il en faisait cet or langagier dont se pare avec bien trop de discrétion la poésie française, naïvement occupée à courir après le moindre semblant d'apparence de lueur de nouveauté.

Follain, c'était de l'ancien. Si authentiquement ancien qu'on y pouvait encore lire la patine d'un temps (en fait pas si éloigné à l'échelle de la mémoire follainienne) où l'homme se lança à la conquête de lui-même en inventant cette façon inimitable qu'il a, depuis, de traduire ce qu'il voit, ce qu'il entend, ce qu'il touche, ce qu'il sent, mais aussi ce qu'il devine et ce qu'il pense, en œuvres d'art faites de formes, de couleurs, de sons ou de mots.

Paris *est une œuvre d'art dédiée, à parts égales, à la vieille capitale de Nerval et de Baudelaire et au langage, cet outil sophistiqué mais* concret *servant à donner parole aux choses, aux idées et aux sentiments.*

Follain était un sentimental objectif. Comme l'homme de Cro-Magnon.

GIL JOUANARD
août 2006

TERRE ET CIEL

Un jour, je sentis que sous le pavé de Paris il y avait la terre, la vieille terre des propriétaires et des partageux ; souvent le pavé s'est gonflé sous sa poussée ; au soir de révolution on arrache les pavés, l'on casse l'asphalte, et la terre apparaît, une terre maigre certes, mais qui tend à conquérir les sucs du ciel.

On voudrait marcher longtemps vers la Ville accompagné de toutes rumeurs qui montent des haies vives, l'on verrait dans les villages des enfants jouant sous les charrettes, se suspendant à leurs brancards, de tout petits assis par leur mère dans la charrette même, des idiots de village tellement attachés au sol que certains sensibles les pleurent qui restent les yeux secs à la mort de leur père ou mère ; dans le regard passerait l'auto près de la forge et son chauffeur rustique assis près des gerbes d'étincelles.

Que de paix il y aurait dans les yeux bleus, dans les yeux gris, dans les yeux mauves de femmes inspiratrices de volupté et taillant du pain dans les soupières ornées.

Bien plus tard, l'on cheminerait entre les grandes villas rouges, décor pour criminels et victimes, pour petites filles calmes et majestueuses mesurant leur taille à celle des soleils du jardin. C'est dans ces villas que restent posés, sur de sombres étagères de chêne, *L'Énéide*, *L'Iliade* et *L'Odyssée* que les habitants n'ouvrent jamais plus. Enfin, l'on rencontrerait les espaces lépreux après des arbres en fleur et un tout dernier laboureur sous le ciel fuligineux.

Il est des endroits où la terre crève. J'en sais qui autour d'une église avoisinant l'avenue de Clichy vont cueillir des pissenlits dont ils font longtemps réduire l'amertume dans des marmites posées sur des fourneaux à gaz.

Cependant les maçons qui rapetassent les tours de Notre-Dame dénichent, à l'abri des corniches, des nids de pigeons ; l'apprenti crie de joie tenant les petits dans sa main rouge et le patriarche des maçons, qui fume une pipe de terre, ne saurait s'étonner. Autour d'eux volent les martinets et les hirondelles de clocher qui pourtant se font rares car les émanations de la ville tendent à éloigner la pureté du ciel, mais le ciel vaincra, aussi faut-il affirmer que les oiseaux reparaîtront et que la vieille à bâton et le mendiant à bissac résisteront aux mirobolantes et si humaines constructions de pierre et de verre acclimatant la grande géométrie sur la terre ; des mousses délicates continueront à pousser sur les brosses salies laissées à l'humidité de l'évier.

Il est doux de traverser Paris comme le village. Il émouvra notre cœur, le dernier petit cordonnier acclimaté au plus haut étage d'un futur gratte-ciel et qui mettra ses lunettes pour regarder mourir le soleil. Il se réfugiera au Père-Lachaise, le dimanche, près du tombeau des maréchaux, mais lorsque le petit cordonnier sera mort, qu'il n'y aura plus aucun de ses pareils, son souvenir subsistera dans une fleur, dans une herbe déterminée, minutieusement classée dans les dictionnaires et qui portera son nom.

Toutes les filles qui traversent la place de l'Opéra, celles-là qui sont subtiles et belles, celles-là qui sont bêtes avec de si beaux yeux savent cet éternel. C'est la connaissance de leur sang, de leur chair, de leurs muqueuses vouées à d'allègres tombeaux.

Voilà ce que Paris nous apprend : ils sont pour durer le ciel et la terre.

LE TENDRE

Il faut toujours recomposer la carte du tendre. Le chemin que suivaient femmes et gars des hauteurs de la Courtille a depuis été remué par la pioche ; mais les cieux restent les mêmes, ils soutiennent les mêmes nuances fines ; ils sont peints avec les fumées qui montent de partout, du petit café-restaurant comme de ces appartements riches où les meubles en bois noir de style 1880 reprennent faveur aux yeux des dernières indolentes qui, ravies à des terres lointaines, fument le tabac de la régie turque. Quant aux fumées usinières, le ciel les reçoit aussi, le vieux ciel bleu du Moyen Age à l'escalade duquel veulent monter certains pourvoyeurs de rêves, auteurs, par ailleurs, de fort beaux poèmes d'amour.

Autour du lycée Henri-IV, le long du quai de Bercy, le ciel prend des tons d'estampes et l'on voit les rayons du soleil irradier de dessous les nuages comme dans ces tableaux de piété représentant Dieu le Père.

Dans certaines chambres d'amour, quelqu'un attend toujours. En entrant dans d'autres, une odeur de renfermé vous poigne à la gorge, si tragique lorsque l'habitante se dépouille de ses pauvres vêtements noirs. Ailleurs, l'homme est toujours à une certaine heure couché sur le lit, vêtu de sa cotte bleue, les mains croisées derrière la nuque, et la femme qui le réveille le fait d'une voix chantante ; les rumeurs de la rue montent jusqu'à eux et ce parfum de feuille mouillée venu d'un grand jardin où les nurses sous les feuillages jouissent d'une circulation du sang simple et lente et gardent parfois sur la peau des tavelures mystérieuses cependant que leurs bas blancs sauvegardent la volonté d'opéra.

Paris enfante de ces jeunes amants qui n'ont connu que les revêtements pour l'heure encore glacés des récents immeubles, mais point les nœuds dans les bois, la rouille des vieilles demeures, ni non plus cette peinture sèche et fendillée des portes brunes. Après qu'ils se sont suicidés au gaz, miaule leur chat orphelin.

Femmes vouées au tendre, votre sœur de 1880 au casque d'or montait l'escalier avec un amant qui avait tatoué sur le bras une grosse rose à deux couleurs. Elle tenait la bouteille d'eau-de-vie et la fiole de cassis tandis que l'homme soutenait de ses grandes paumes étalées un large plat garni d'huîtres ouvertes.

En examinant de la fenêtre les groupes suspects de la rue, elle tordait sa chevelure de ses mains expertes et vigoureuses, les anses qu'ensuite elle formait avec ses bras pour dresser son haut chignon donnaient une fraîche grâce à son souci.

La littérature et la vie se réchauffent l'une à l'autre : un homme empruntant les ruelles, le cœur battant, le corps enveloppé d'un pardessus usagé, badine en main, rentre dans son chez-soi dont il ne peut chasser l'odeur particulière qui survit au passage des filles parfumées à l'héliotrope ; de ses yeux rouges et chassieux il inspecte les murs, il trouve près de son miroir pour la barbe quelques gouttes coagulées de son sang, ce sang qu'il n'a jamais versé ni dans les émeutes ni à la guerre. Il se dévêt, et, pour enlever sa chemise de jour, lève ses bras en l'air : des poussières lentement se nichent dans ses touffes d'aisselle.

La chambre s'orne de photographies jaunâtres : soldats portant l'épaulette, bourgeois chapeau de soie en tête, occupant un fauteuil et semblables à l'huissier Gouffé dans l'heure marquée où Gabrielle Bompart lui passa autour du cou la mignonne cordelette de son peignoir.

De vieilles images viennent à la rescousse de l'homme maintenant assis méditant sur son lit dont il a déplié la couverte couleur de pivoine, images de Flandres ou d'Artois, de majoliqueuses souriantes au mineur réparant une lampe Davy, images du Midi, de murs brûlants.

Sur les rayons de l'étagère il n'oublie pas qu'il a serré *Salammbô*, *Un prêtre marié*, les *Odelettes*, les *Poèmes saturniens*, mais il se met à souffrir d'une chaussette percée, d'un collet de velours défraîchi, et puis ses livres se sont abîmés, une patine jaune s'étend autour des pages ; l'humidité, les poussières, les puissances de l'air ont agi ; certes, il possède bien quelques volumes richement dorés sur la tranche, mais ses chaussures prennent l'eau et deviennent aux jours des grandes pluies molles et ternes ; combien ne faut-il pas en mettre d'huile de bras pour faire revivre la luisance réconfortante !

L'homme se couche dans de vieux draps brodés par sa mère ; il a attrapé un chaud et froid. Sa fenêtre donne sur la Seine. Dans la fièvre, ses souvenirs grandis, épanouis, inquiétants comme des fleurs vénéneuses, rejoignent Marseille ou Rouen.

LA SOLITUDE

Le flâneur, au milieu des gens qui vont tête baissée à leurs bureaux ou à leur négoce et des délicieuses femmes, frissonne l'hiver dans son pardessus. Le soir venu, il est attiré par les lumières, son oreille perçoit les premiers accords de la musique dans les grands cafés en train de couler, et dont le patron sourit aux clients rares ; bousculé aux grands carrefours, il éprouve l'âcreté de la bise.

Il aime, tout en la fuyant, la douceur des foyers, il aime le suc des viandes, le faste des argenteries, il s'arrête aux devantures de comestibles et contemple les victuailles.

On le rencontre parfois marchant sur le pavé disjoint du quai de l'Oise : il suit les petites rides qui se forment sur l'eau, ou, du côté des maisons, la succession des portes brunes, passe près du mastroquet à la peinture écaillée, dont l'enseigne est composée en lettres jaunes à extrémités fourchues, assouplies d'un dégradé qui coûta beaucoup de soin au beau peintre siffleur à chapeau melon et blouse blanche.

Lorsque l'odeur des grillades monte auprès de la roulotte établie dans le terrain vague, alors que se profilent dans le ciel bleuâtre les tours du Trocadéro, le flâneur sent revivre en lui le parfum des vieux jours si chauds : la terre alors se fendillait et l'écume déferlait sur l'encolure des percherons.

Dans les jardins avoisinant le Trocadéro un sorbonnard qui sent la griffe de l'âge tient sa tête entre ses mains. Un des musées s'endort avec ses pirogues, ses momies aztèques, ses flèches autrefois empoisonnées; dans l'autre, les moulages des portails de cathédrales reproduisant des jugements derniers résistent par leur blancheur à la nuit montante. L'hippopotame de pierre, échantillon d'une architecture décadente, fait l'étonnement d'un soldat de ligne aux mains éraillées. Une infirmière, un livre à la main, suit d'un regard extasié les derniers mouvements des merveilleux poissons de l'aquarium qui entrent en sommeil.

Le premier vous avez l'honneur, disait Brillat-Savarin à maître La Planche, d'offrir à l'univers étonné un immense turbot frit. Brillat parle aussi d'un plat digne de la table des rois : des épinards à la graisse de caille. Au crépuscule dans certaines rues très douces il peut venir au flâneur l'idée de pareilles nourritures; l'exaspération du soir est alors prodigieuse; on entend les cloches argentines d'une chapelle privée; des hommes passent revêtus de costumes d'une grande qualité qui portés ce jour pour la première fois sentent encore l'atelier du tailleur, hommes parfumés et tristes, et dans leurs souvenirs d'enfance sont des routes de neige et de soleil. Cependant les douces rues mènent aux sinistres, le flâneur suit les hauts murs d'une prison, puis quantité de grandes entrées surmontées d'enseignes en lettres noires.

Bientôt il retrouve des quartiers plus clairs; dans de petits cafés, des femmes et des hommes, sans devoir précis, s'abandonnent.

Le flâneur dans son quartier s'est pris à saluer la marchande à sa toilette. Ce n'est pas comme quelquefois une ancienne étoile, mais une paysanne égarée, qui près des rouilles mordant sans trêve des débris de fer, près des frêles papillons éclos dans les fleurs de ses soies, mange une soupe de pain trempé dans le lait écrémé des cités. Beaucoup de vieilles de cette sorte vivaient au temps des émeutes fréquentes, alors que de jeunes hommes à la fois timides et enflammés mangeant seuls dans les crémeries pâlissaient, soudain, sous les lampes, cherchant nerveusement dans leurs poches leur unique louis d'or.

Chaque cœur de maison bat doucement dans les ruelles d'où l'on entend les trains au loin.

Celui qui a flâné tout le jour ouvre sa fenêtre, il subit le sentiment avant-coureur des mauvaises réussites, tout en lui se défait ; en face au côté de la porte d'un grand immeuble, son regard fixe une sonnette fourbie. C'est l'heure où l'on pourrait voir se profiler les ombres des élèves de l'École polytechnique qui font le mur, leur visage imberbe éclairé par la nuit étoilée.

Il fait bon respirer l'air frais. Comme elles sentent le renfermé les idées de ceux-là qui en restent à proclamer le cynisme de Stendhal !

MONUMENTS

Les lions de pierre plus grands que nature qui décorent chaque côté des monumentales entrées passent souvent inaperçus. Le regard des étrangers et des provinciaux se pose pourtant parfois sur eux et sur les factionnaires qui se tiennent à l'abri des guérites.

Des gens ponctuels, précis comme leur guide, se lèvent de bonne heure pour aller visiter les monuments historiques. Un jour ils ont tout perdu en province, dans une ville d'étudiants, en laissant se détourner d'eux un chignon brun agencé par des mains de fée dans la petite glace dorée d'une chambre qui se situait au-dessus d'une épicerie, dont le patron moulait sur le trottoir son café mélange brésilien.

Ils vont par les musées où l'on entend toutes sortes de toux, et aussi les pas lents de ces femmes distinguées que font mourir à leur heure les factieux, ces mêmes femmes qui se promènent dans les Tuileries portant d'énormes fleurs achetées rue Saint-Honoré ; leurs visages, à la bouche saignante, infiniment bien dessinée, songent devant les toiles de Tintoret ; leurs yeux se fixent sur les paysages verdâtres à chemins sinueux qui fuient derrière les portraits des grands Italiens. L'amateur de musées au visage sillonné entend aussi le rire des jeunes Anglaises réunies dans une salle lointaine. Parfois fatigué, il s'assoit sur un canapé de velours grenat, les yeux rivés en un songe au parquet brillant ; par la grande baie d'un palier donnant sur les cours, il avait aperçu la noirceur du ciel : bientôt l'orage éclate sur Paris, l'eau tombe en trombes et les roulements de tonnerre parviennent magnifiés. Comme M. Bertin que peignit Ingres il a posé ses mains sur ses genoux ; il reste là pensif devant l'empereur sans vie conduisant la retraite de Russie et qu'a peint Meissonier sous le titre : *1814*.

Il songe à tout ce qu'il a vu : la tour Eiffel aux décorations lumineuses ; la machine à vapeur de Cugnot, émouvante à en pleurer, au Conservatoire des arts et métiers, parce que bâtie de bois et de fer invulnérable : on sait que, sur les grand-routes au temps de Louis XVI, elle salissait la campagne pour la première fois ; le musée Victor-Hugo, avec l'habit de pair de France et celui d'académicien, vêtements d'un temps où l'on ne rechignait pas à la broderie; le tombeau des Invalides et ces vieillards qui le gardent, et qui, parfois doux, parfois incompréhensifs et susceptibles, se réunissent chaque beau soir d'été pour digérer autour des canons de l'esplanade, et contemplent le ciel comme de vieux bergers pour y voir naître les étoiles. Il a vu enfin les fœtus du musée d'Anthropologie dans leur bocal jaune, produits d'un ventre de noyée, femme du Morbihan qui se jeta à l'eau en corsage de pilou, en jupon rouge, près du Châtelet, à l'heure de la féerie; un petit employé à l'Hôtel de Ville se laissait aller à ses grimaces favorites en voyant remonter le cadavre, après quoi lorsqu'il n'y eut rien de plus à voir, il se rendit chez son habituel marchand de vin d'où l'on apercevait toute l'architecture de Notre-Dame, à la multiple faune de pierre : pélican, éléphant, calandre.

Je me souviens d'une gravure d'illustré représentant un Anglais à favoris jaunes rouant de coups un monsieur, dans l'avenue de l'Opéra, dominé par l'Apollon élevant la lyre. On ne jette plus d'encre sur le groupe de la danse que sculpta Carpeaux dont le fils a écrit un livre sur les supplices chinois. Parfois s'arrête devant une entrée latérale du monument le camion aux décors; le magasin de décors de l'Opéra est situé sur un boulevard extérieur désolé, c'est une grande bâtisse de briques rouges décorée de masques de théâtre. La loge de la concierge donne sur une courette herbue où l'on voit paître un âne.

SQUARES, JARDINS, PLACES, PASSAGES

Les grands parcs furent entourés de grilles en fer de lance. Les squares furent seulement ceints de basses clôtures de fer. Au centre fut parfois édifié un kiosque à musique.

Les gens à tracas se réfugient dans les squares pour continuellement ressasser le thème confus de leur vie; leurs doigts fiévreusement remuent : ils essaient de réparer le vieux manteau tissé de fils de brume et de fils d'or d'une destinée rêvée, jamais réalisée. Sous le soleil violent, alors que les enfants édifient des fortifications de sable, les arbres épanouissent leur feuillage de joie.

Des femmes tricotent ayant posé sur leurs genoux les laines de couleur. Chaque square a ses habitués particuliers : de vieux juifs discutent au square d'Anvers, au square des Batignolles d'atrabilaires célibataires gardent toutes leurs tendresses pour les oiseaux à qui ils émiettent un peu de pain en se complaisant au murmure des petits ruisseaux artificiels.

En automne, parfois, des hommes ramassent machinalement les feuilles mortes qu'ils broient dans leurs mains ; certains respirent d'une narine gourmande un relent de terreau, d'autres défaillent d'avoir faim sur les bancs, et, dans une hallucination, sentent cette odeur de corne brûlée qui monte aux abords des maréchaleries : un souvenir d'adolescence lie cette odeur à leur fringale, car, autrefois, ils passaient devant le maréchal-ferrant en rentrant de l'école du soir.

Dans le cœur de beaucoup d'habitués des squares il règne une nuit polaire que traverse rarement une brise un peu tiède : personnes entre deux âges qui ruminent, aveugles graves dans leurs vêtements lustrés et à qui des naines font la lecture sous le ciel gris, garçons malingres qui allument une cigarette alors que se pincent les narines de la vieille dame assise près d'eux ; celle-ci porte un voile de crêpe gaufré qui tourne au jaune, et son visage qui reçut le vent chargé d'embruns sur le seuil de la maison bretonne, entourée d'herbes coupantes et d'ajoncs, demeure roide et chagrin.

Lorsque la nuit commence à tomber, les enfants qui ont beaucoup crié s'endorment. De merveilleuses mères les caressent, dont la voix, montant de leurs chaudes entrailles, se dilue dans le crépuscule ; elles apparaissent suaves dans des vêtements dont le satin est un peu fané ou le velours un peu terni. Les feuilles rouges de l'automne tombent sur leurs épaules ; elles poussent vers la sortie le landau où, parmi les dentelles, dort leur enfant, et pour beaucoup qui gardent en tête un air de romance, le crissement du gravier sous les pas, le miaulement des petites portes de fer qu'il faut faire tourner sur leurs gonds, orchestrent une mélancolie douce de grande ville.

Au jardin du Palais-Royal, l'on comprend l'inclusion des secrets magnificents dans la pierre. Le petit canon dans la poussière d'or de midi surprend les enfants blonds arrêtant leur grand cerceau sous l'arbre au feuillage terni. La légère odeur de poudre ne s'allie pourtant plus aux riches fumets qui montaient autrefois des cuisines de traiteurs considérables ; néanmoins, les vapeurs des rôts ont patiné les vieux moellons ; chez Véfour, dernier refuge des joueurs d'échecs, le bruit des noces bourgeoises s'est tu ; le restaurant persiste pourtant : la tête hasardée hors de son trou, un rat assiste à la confection de la blanquette à l'ancienne cependant que, dans la chambrette donnant sur le jardin, au-dessus d'un magasin de dentelles, un amant organise sur le sein mignard de sa maîtresse des courses de coccinelles.

Les noces qui se célèbrent dans le restaurant du parc des Buttes-Chaumont bénéficient de la permission de se promener la nuit entière sous les étoiles à travers rocailles et verdures ; les souliers vernis que chaussent alors les tueurs des abattoirs crissent sur la pierraille des allées, sur les côtés desquelles les pluies diluviennes ont déposé des lits de sable fin ; les minuscules fragments de peau morte des rousses laiteuses flottent dans le feuillage ; des oiseaux aquatiques d'espèce vulgaire dorment sur le gazon rafraîchi. Le pont d'où souvent des gens se tuent dans le triste veston tissé à Roubaix se dresse net et noir.

Au 14 Juillet, et ce jour-là seulement, le peuple des Buttes-Chaumont a permission de marcher, de s'asseoir, de s'étendre sur les pelouses. Aussi peut-on voir sur un coin de tertre près d'une tache de vin silencieusement aspirée par la terre la place où s'étendit le dos d'une femme qui s'endormit dans l'après-midi bleu.

A la nuit, le feu d'artifice épanouit ses bouquets,

après quoi des jeunes gens font des brûlots avec des journaux et des papiers gras ; des agents de police, à la faveur d'une obscurité complice, s'amusent à se laisser rouler le long des pentes.

Au parc Montsouris, les bourgeois sont plus sages alors que le parfum du foin coupé se mêle aux fumées du chemin de fer de Sceaux et qu'une vieille demoiselle s'endort, les yeux rouges, tout près du monument élevé en mémoire de la mission Flatters.

Dans des milliers d'ans un écolier pourra-t-il confondre la place de la Concorde avec les jardins suspendus de Babylone ? L'obélisque qui l'orne au centre pèse deux cent cinquante mille kilos ; certains soirs, le ministère de la Marine d'un côté, le Palais-Bourbon de l'autre, s'enveloppent de brumes pareilles à celles qui dans les campagnes montent des étangs nappés d'un vert royal.

Le statuaire a fignolé les plis des chlamydes qui vêtent ces lourdes femmes représentant les villes de France. Le nom et l'ordonnance de la place de la Concorde appartiennent à ce temps où la carte des Colonies françaises d'Afrique, dans l'atlas aux couleurs de pastel, s'ornait d'une taille-douce figurant un enfant bronzé et nu qui, assis sur les genoux d'un Arabe, embrassait un petit Blanc assis sur les genoux d'une femme drapée tenant en main une tablette où s'inscrivaient les mots de Justice et Fraternité.

Quant à l'ancienne place Royale aux belles maisons roses, elle est devenue la place des Vosges. C'est place Royale que sur un banc une dame à sa voisine expliquait : « Je connais mon histoire, madame, ils sont passés par là avec la tête d'une duchesse de Lamballe au bout d'une pique, ils ont été pour chercher le dauphin et l'ont tué ; dame ! que voulez-vous, madame, les rois affamaient le peuple. »

Aux heures industrieuses, des hommes se rencontrent dans les passages, ceux-là dont on dit qu'ils ne font rien de leurs dix doigts. Ils se drapent dans de vieux pardessus clairs de turfistes et gardent un souvenir écœurant d'un coucher de soleil sur le champ de courses d'Auteuil.

Sous les passages, les moindres toux s'amplifient ; l'on entend cracher près de soi ces gens courbés et qui marchent mains dans les poches, des épis de cheveux dépassant de leur feutre.

C'est sous les passages qu'il faut contempler l'horloger à la blouse noire, symbole des civilisations laborieuses. Il démonte le rouage de ces montres qui, au jour des assemblées, des fêtes, des dédicaces comme au soir de la promenade amoureuse, marquent l'heure sur le cœur populaire. L'horloger de Paris, mangeur de soupe et buveur de vin, apparaît souvent simple et calme ; dans les noces de quartier les filles admirent ses mains blanches adoucies par le reflet des aciers bleus. Ô femmes nues des journées d'été qui allongez votre bras frêle vers le chronomètre de platine posé sur la table de chevet, votre image gracieuse s'évoque-t-elle à lui qui s'endort tourné vers le papier grisaille de sa chambre, alors que sonnent ses carillons de Westminster !

DES ÉGLISES

Notre-Dame change sa couleur tous les jours. Elle demeure la grande église des saisons. En décembre l'on peut s'y promener dans le silence et le froid et contempler les pourpres, les bleus d'émail et les violets prune des vitraux glacés.

La paroisse Notre-Dame est pauvre. A de grandes fêtes, il est arrivé qu'un prêtre civilement marié se glissât en surplis dans les cortèges, reconnu avec stupeur par son enfant pâle à qui la mère fermait la bouche.

C'est à Notre-Dame que se marient les délicates filles des préfets de police. C'est à l'ombre de ses tours que Javert, le policier mythique, ayant posé son haut chapeau velu sur la berge, se laissa tomber dans l'eau scintillante.

A Saint-Sulpice, chaque dimanche, les séminaristes chapiers chantent au lutrin – deux, quatre ou six selon l'importance des fêtes. De vieux sacristes trempent leurs doigts dans des conques marines, don de Louis XIV. Dans l'ombre d'une chapelle rayonne l'*Héliodore* de Delacroix devant qui rêvaient les grands intellectuels sensibles de la fin du XIXe siècle, dont les chaussures en fer de lance crissaient sur les dalles.

Saint-Germain-des-Prés est flanquée de son presbytère au grand charme terrestre. A l'intérieur de cette église il subsiste de magnifiques et d'authentiques chapiteaux; mais les fresques de Flandrin gagnent en insignifiance, elles ne sont plus l'objet d'admiration vivante; pourtant leur inauguration fut, au Second Empire, saluée par de somptueux morceaux d'orgues.

A Paris, il faut contempler l'automne des églises et les belles absides donnant sur des squares ravagés : à l'église Saint-Séverin, au-dessus d'une petite porte latérale, est figuré saint Martin tranchant ce manteau de lourde étoffe qui, sur la vieille route de la légende, reflétait toutes les lueurs du couchant. Dans la rue de la Huchette, étroite et chargée d'odeurs, presque face à la porte du saint Martin, on voit une crémerie peinte en bleu d'azur dont l'enseigne est : *A l'Enfant-Dieu*. En retrait de la place du Panthéon balayée par les vents, Saint-Étienne-du-Mont demeure comme un ferme joyau.

Dans cette église, un jour de fête, l'évêque Sibour fut assassiné mitre en tête et crosse en main par un prêtre interdit, qui, le poignardant au cœur, lança le mystérieux cri : « Pas de déesses ».

A Saint-Eustache, le jour de la messe des gens des Halles, les tripières et les fromagères en tablier blanc, le buste pris dans de beaux fichus crème, se relaient pour, tour à tour, assister à un bout de l'office. Elles écoutent, près du tombeau de Colbert que Coysevox sculpta, un sermon sur la résurrection de Lazare, et le bruit de leurs galoches résonne clair.

L'église Notre-Dame-des-Victoires est liée au souvenir des pieux officiers à taille de guêpe, de Crimée et d'Italie, les mêmes qui, convalescents, portaient les cordons du dais à la procession du Saint-Sacrement dans la cour du Val-de-Grâce alors que des enfants de troupe balançaient des encensoirs.

Sous les voûtes bleues semées d'étoiles d'or du porche de Saint-Germain-l'Auxerrois on peut parfois entendre, alors que cingle la pluie de mars et que les assistants grelottent sous de solides parapluies, les discours d'enterrement d'un important mercier dont les filles en grand voile portent avec grâce leur embonpoint, dont les cousines en moindre deuil apparaissent frêles et éteintes.

Face aux plus vives lumières de Paris, le fronton de la Madeleine figure le Jugement dernier.

Un après-midi de Toussaint, j'ai vu luire le bois bien ciré de la chaire de Saint-Honoré-d'Eylau. Un prêtre corpulent parlait ; la lumière tombant sur lui avivait le fond de soie rose sous la dentelle des manches de son rochet. Il comparait l'âme du purgatoire à un diamant imparfaitement ciselé. Il s'échauffa, cita des mots illustres et de grandes agonies. Je voyais ses puissantes et terriennes mains tenir la bordure de la chaire chantournée.

Les églises de Paris restent souvent poignantes. Je pense à ces affiches de pèlerinages remuées par la bourrasque lorsqu'on pousse les portes capitonnées, à ces lutrins abandonnés, à la servante récitant des *Ave* devant les grands tableaux noircis des édifices de style jésuite, à l'injure du manœuvre remontant sur ses épaules un fardeau par un midi sombre à la sortie de grandes obsèques, sous les éclairs.

HÔPITAUX ET PRISONS

Les visages parisiens de la maladie et de la mort s'enveloppent de ce halo romantique né d'images comme celle de la pèlerine des cochers de corbillard aimant boire, ou celle du jardin des Feuillantines, ou plus près, celle de l'hilare major de la Grande Guerre.

Les marchandes de fleurs, les marchands barbus de vieilles livraisons entourent les portes des hôpitaux civils et militaires. Les jeunes filles du petit peuple, les magasinières, les modistes amoureuses parlent abondamment et simplement des maladies de poitrine, des tumeurs et des cancers. Elles apportent avec le sourire du destin la purée de pois verts et la cuisse de poulet accordée par indulgence, ces infirmières à la pupille nette dans le blanc de l'œil, aux strictes mains. Sous leur crâne se déroulent doucement les visions d'épidémie, de paix et de guerre.

Il m'arriva d'aller à l'hôpital pour voir Ferdinand le policier rongé par le plus mauvais mal, garçon de haute stature au visage d'empereur décadent, au regard accueillant et dont la mère était épicière dans une petite ville normande. Je le trouvai tout couvert de bubons mais sensible aux branches qu'on apercevait un peu par les fenêtres.

Ferdinand parla du temps où, simple sergent de ville, *en soutane*, comme il disait, pour signifier en uniforme, il faisait le service de la circulation place du Palais-Royal ; il s'était vu un jour appréhendé par un nain ridé, guêtré de blanc, ganté de jaune, coiffé d'un melon de couleur. Le nabot avait interrogé : « Dites-moi, agent, pourriez-vous m'indiquer un édicule public. » Alors Ferdinand penchant vers le petit homme sa stature d'hercule et avec l'accent du faubourg avait répondu : « Un édicule public, c'est-y pour débourrer ou pour lansquiner ? »

L'amie de Ferdinand, habillée de tissus légers, excessivement propre sur elle, venait le visiter chaque jour. Ferdinand guérit ; il continua son métier d'agent des mœurs – pour lequel, disait-il, il avait le plus profond mépris ; on le vit de nouveau se promener le chapeau sur l'oreille, les mains derrière le dos, dans les allées du Bois au coucher de soleil. Rue de Rivoli, les filles l'aimaient, il les faisait accepter gentiment d'aller à Saint-Lazare à tour de rôle et hochait la tête avec un sentiment anarchique lorsqu'il vous entretenait de cette lépreuse prison des femmes. Elle reste d'ailleurs sinistre avec son drapeau tricolore sali au-dessus du portail, ses gardiens se chauffant autour d'un poêle de vieux modèle et la jeune détenue qui passe tenant à la main un peu de linge dans un mouchoir noué.

Les filles qui sortent de Saint-Lazare marchent d'un pas vif et rejoignent les quartiers de négoce pleins de rubans, de cafés, de victuailles. Les jeunes hommes sortant de la Santé, s'ils ne prennent pas le pas robuste du facteur rural s'attardent au mastroquet *La Bonne Santé* situé face la prison, où ils retrouvent alors tiédeurs et fraîcheurs complices.

GRANDS MAGASINS

L'inspecteur en veston marron est appuyé sur la rampe du grand escalier; depuis déjà deux heures il suit des yeux pour la faire prendre à sa sortie la voleuse fiévreuse qui plonge dans la lingerie ses mains baguées.

L'aiguille tourne lentement sur les horloges, des femmes en deuil s'arrêtent devant des crucifix; déjà la voleuse subit l'étreinte de la poigne robuste des policiers, gars à forte haleine sous les lumières de fête.

Cependant les vendeurs font éprouver le son du cristal sorti des cendres. Au comptoir des faux cols, de jolies filles offrent divers modèles avec une indifférence gracieuse et leur cœur bat sous la robe noire; parfois une préoccupation anime un instant leurs yeux voilés d'absence. Leur peau est blanche, quelquefois blonde et même ocrée. L'appel de l'ascenseur tinte. Toutes les acheteuses sont respectées, même ces jeunes filles bossues ou bancales qui, tôt vieillies, viennent acquérir des dentelles et des rubans pour s'en orner.

CIMETIÈRES

Au cimetière de Charonne, sur un tertre où abondent les végétations folles et qu'enclosent des grilles mangées d'une rouille féroce – grilles au dessin sept ou huit fois diversifié par hommage collectif d'artisans – se dresse en costume d'Ancien Régime, tricorne et queue, la statue de Bègue dit Magloire. Une inscription sur le socle précise ses métiers, qualités et fonctions : Peintre en bâtiments, historien, philosophe et secrétaire de M. de Robespierre. Évocation de la grande Révolution qui naquit après les essais d'une politique épuisée par la question des grains.

Le petit cimetière de Charonne avec ses croix forgées, ses tombes d'enfants, ses urnes verdies, ses épitaphes baroques au fond de caveaux mordus par le lierre, réclame le beau ciel bleu, exempt de nuages, cher aux camionneurs et livreurs urbains et suburbains du *Bazar de l'Hôtel de Ville*.

Une des épitaphes précise d'un défunt : *il n'a pu profiter de ses fruits et de ses économies...* Magnifique redondance. Le chapeau de soie du mort devait être garni de la somptueuse coiffe violette frappée du nom du chapelier en lettres d'or.

Le Père-Lachaise, lieu de l'ultime résistance des communards, reste pénétré des odeurs du dernier siècle quand s'agglutinèrent à Paris plusieurs villages de la banlieue. M. Thiers, le nabot à vigoureuse cervelle dont la gravure d'apothéose décore encore de vieilles maisons rurales, y est enterré sous un immense mausolée carré. Quelques-uns, parmi les tombeaux de généraux de Napoléon, sont encore entretenus, beaucoup ne le sont plus. L'amateur d'émotions, le revers du veston couvert de pellicules, y découvre d'anciennes couronnes fangeuses et circonscrit d'un doigt spatulaire les aigles en relief sur la pierre moussue.

La multitude des cippes, des amphores, des croix, force le cœur dans les beaux jours de végétation abondante, alors que dans des coins pas encore défrichés se balancent coquelicots et folles avoines : ainsi en est-il non loin du mur sanglant.

Autour du four crématoire, le colombarium forme une grande bibliothèque d'urnes. De petits bourgeois à esprit fort, porteurs de leur vivant d'un regard têtu et doux, des ouvriers convaincus et sobres se font incinérer. Leurs parents pour rendre les devoirs à leurs cendres doivent si elles sont haut placées le long du mur prendre l'échelle et monter jusqu'à la case numérotée parmi tant d'autres.

On peut visiter le four crématoire. La salle de crémation porte la marque de l'architecture salomonique. Elle comporte un orgue. La bière est introduite dans un simulacre de four en stuc décoré de roses, puis enlevée dans la coulisse et glissée devant deux parents seulement dans le véritable four qui consume à peu près tout car dans les cendres on ne retrouve que quelques débris d'os.

Pour la visite publique, le four fonctionne en veilleuse ; j'ai vu parmi les visiteuses une petite-bourgeoise vêtue de noir, la lueur rose éclairant son visage s'écrier en riant : « Eh bien, moi qui aime la chaleur, je serai servie. »

Mais des veuves croyant en la résurrection des corps ont fait édifier au Père-Lachaise de monstrueux tombeaux à leur feu mari ; l'un d'eux consiste en une énorme tour qui monte en cheminée d'usine vers le ciel ; un autre est garni de gigantesques femmes symboliques aux yeux clos.

Parfois, d'une voix coupante, deux vieillards qui furent dans le négoce, assis sur le banc d'une allée, discutent de l'étanchéité du terrain, en prévision de leurs tombeaux futurs. Ils envisagent les déprédations rendues possibles autour de leurs cadavres par l'infiltration de nappes d'eau souterraines, cependant que les oiseaux dans un dernier rayon de soleil cherchent François d'Assise.

JARDIN DES PLANTES

Dans le jardin des Plantes, les troupiers nostalgiques vont se pencher au-dessus de la fosse aux ours. Ce jardin symbolise désœuvrement, flânerie curieuse, tristesse et douceur des encyclopédies.

Le petit vent aigre d'automne qui, vers les cinq heures du soir, secoue les étiquettes à noms latins fichées dans les massifs souffle bien pour donner le frisson d'anxiété voluptueuse à tel garçon obsédé, dans la cervelle de qui tout se confond, dont la mémoire défaille, et qui sous la lumière blonde d'une lampe à pétrole rêva de savoir.

Les ours offrent l'image d'une tranquille lourdeur animale par les beaux soirs propices aux disputes philosophiques; les paysans exilés ne sauraient reconnaître aucune de leurs bestioles familières dans certains oiseaux solennels aux bigarrures vertes et rouges, à huppes et aigrettes.

Au Muséum, les visiteurs contemplent des moulages de cire alors qu'arrivent lointains des cris de camionneurs. Les ailes des papillons épinglés répandent une poussière impalpable. Il se peut que par un coup du hasard une fille réfugiée près du diplodocus tremble de retomber entre les mains de son souteneur qui la cherche par les calmes ruelles voisines.

Dans les brumes cendrées de ce beau jardin, lorsqu'un torride été a tout grillé, excepté quelques vivaces plantes vertes et de rocailles, j'en sais qui sentirent un moment d'ineffable, une fantomatique et délicieusement crispante nostalgie en buvant de l'eau fraîche et claire à même un gobelet enchaîné, en mangeant un de ces petits pains destinés à jeter aux animaux.

Dans l'ancien jardin du Roi se réfugient de vieilles bonnes renvoyées qui pleurent sur les bancs, alors que le jardinier et ses aides ratissent doucement.

Un auteur, ancien inspecteur de la Sûreté, a raconté que de jeunes marlous tuaient à l'aide d'un chasse-pierres les pigeons ramiers du jardin des Plantes pour ensuite leur crever les yeux ; ils voulaient se faire admirer et du même coup craindre des femmes.

Plateau aux cèdres, serres, orangeries, coins de terre âcre, les hommes de la République ont promené leurs redingotes noires dans ces paradis terrestres ; leurs petits n'étaient pas très loin, gardés par des nourrices paysannes peu jaseuses et tricotant des ouvrages de laine blanche.

La nuit, le cri des animaux, s'il se fait parfois plus insistant, trouble à peine dans son sommeil la radieuse fille du gardien.

Beaucoup de malheureux viennent s'y chauffer; l'on y voit de vieux courtisans. Salle des pas perdus s'élève le monument de Berryer, celui de Tronchet, avec dans son bas-relief les trois avocats de Louis XVI qui viennent visiter le monarque assis près d'un globe terrestre et derrière qui pleure le fidèle Cléry.

Des gens de robe de tête vulgaire ou noble ou triste, certains rigolards, d'autres faussement ou naturellement graves évaluent superficies et contingences : le droit reste la grande création romaine épuisant les affaires d'or et de sang. Napoléon, entre deux batailles, en saisissait le jeu et l'armature. La jurisprudence continue à se nourrir de la belle doctrine, et il est réconfortant de voir un éminent juriste physiquement un colosse, tel l'un des actuels conseillers à la Cour suprême. Ce dernier, autrefois doyen d'une faculté de droit, la régenta magnifiquement et sut faire aimer sa silhouette se profilant souvent sur le cours d'une vieille ville normande, alors que montaient des prairies les vapeurs des suaves soirées.

Certes, il en est beaucoup parmi les plus notoires du barreau, qui ne comprennent rien de l'homme. D'autres reçoivent dans des cabinets de travail byzantins ! D'autres enfin restent vrais.

La gourmandise des conversations creuses se donne libre cours dans les galeries tandis qu'aux assises parfois, juges, procureurs, défenseurs par trop facilement plaisantent, qu'un tribunal chuchote son jugement et que dans la galerie sombre et enluminée de la Cour de cassation s'usent lentement les souliers à la poulaine d'une statue de saint Louis de grandeur naturelle mais sous un petit chêne, le tout du goût le plus affreux.

Le populaire dénomme le Palais de Justice « Le Grand Palais ». En arpentant ses couloirs, en pénétrant dans les salles d'audience, aux avancées d'escalier, aux plafonds, aux verrières, le regard qui scrute suit quantité de représentations allégoriques : faisceaux de licteurs, mains de justice, balances, coqs gaulois, couronnes de chêne et de laurier. Dans un lointain avenir, des hommes soucieux déterreront et commenteront tous ces emblèmes sous un puissant soleil d'été.

SPECTACLES

Aux portes du Théâtre-Français, des gens stationnent de longues heures pour occuper les places à bon marché qui ne se louent pas d'avance et ainsi voir jouer les tragédies de palais. Un jeune homme pâle s'appuie au fût lisse d'une colonne, des dames font du crochet qui bien souvent n'ont reçu aucune grâce, et apparaissent loin de la belle héroïne d'Arnim qui d'un seul de ses regards vidait l'intérieur des grenades ; elles n'admettent comme spectacle que les subventionnés, et situent les pourpoints, les toges, les poignards et les poisons dans l'univers des poètes. Celles qui attendaient ainsi, il y a plus d'un lustre, avaient depuis longtemps pris place non sans chicaner leurs voisines sur les préséances dans les fauteuils d'amphithéâtre que Paul Mounet restait attablé au *Café de la Régence* ; le chasseur, obéissant à une consigne, l'avertissait pour la quatrième fois que son nom était ce soir-là sur l'affiche et qu'il était temps qu'il se hâtât pour monter en scène ; il grommelait en réponse : « Oui, oui, merdeux, j'y vais, j'y vais. » Il ne partait pourtant qu'au tout dernier moment. C'était un bon homme qui parlait toujours aux terrassiers qui piochaient au fond de la tranchée jaune des rues en réfection.

En passant dans une cour intérieure à gouttières et à plein cintre sur qui donnent les coulisses d'une salle du boulevard, on entend le rire d'une actrice entourée de fleurs, de jeunes gens et de chiots. Si surtout il fait froid, on pense aux départs pour la guerre, aux éternels Marie-Louise enflammés par la peau de culture des filles de théâtre.

La maison sur le bord de la route, les pièges à renards aux abords du jardin, c'était bien sûr la paix.

Le baume au cœur, l'ouvrier vieille France gravissait les escaliers de l'Ambigu pour y voir jouer le mélodrame bon comme le pain et la chopine ; et d'entendre claquer le fouet du postillon de la diligence de Lyon, ou sonner les cloches de Saint-Sulpice, dans *La Mendiante*, lui donnait goût à vivre.

A l'amphithéâtre de l'Ambigu siégeait un soir un vieil artisan ; on jouait *La Porteuse de pain*. A l'entracte, après le premier acte, il se mit à instruire une grosse femme sa voisine de ce qui allait suivre : bien plus tard le fils de l'héroïne retrouverait déchirée en petits morceaux la lettre innocentant sa mère ; il l'avait, enfant, introduite en guise d'avoine dans son cheval de carton. L'ancien, pour cela, expliqua : « Alors, vous comprenez, on a retrouvé son innocence dans le trou du cul du cheval. » Pour la vingtième fois il entendait la pièce, à chaque fois pourtant il se sentait remué et cette fois-là encore il pleura, puis il contempla le lustre, parla de son poids, le compara à celui du Grand Opéra que Gaston Leroux imagine tombant sur les têtes des beaux messieurs-dames.

Au concert de quartier, le samedi, des ménagères tiennent sur leurs genoux le chapeau de leurs hommes, L'usure de leurs genoux ployés pour le lavage, celle de leur sourire aux voisines s'est poursuivie tout le jour parmi les gris les plus tendres et les violets les plus cachés ; leur chevelure a lui au milieu des apéritifs bigarrés.

Tel soir elles contemplent Rigoulot, l'homme le plus fort du monde, l'homme à la double musculature. C'est sa jeune épouse qui annonce et explique sur scène les records d'un mari colosse qui reste silencieux, exécute avec de bons yeux.

La vue de cette force, liée à une impuissance à toute méchanceté, emplit d'un indéfinissable malaise les terreurs cachées dans l'ombre et qui collent leur cigarette en dodelinant du chef.

Le spectateur occasionnel, à la matinée d'un cinéma du boulevard, se cale bien dans son fauteuil pour en goûter aussi complètement que possible le confort. L'acide politesse d'ouvreuses aux soies crissantes, ses voisins vêtus de puissants draps anglais, les paysages que l'on projette, l'enregistrement sonore du murmure des ruisseaux comme du chant des cascades, l'amènent à cette mélancolie raffinée qu'il déguste dans une torpeur douce.

A même heure dans un petit cinéma de l'avenue de Saint-Ouen, les enfants de la zone proche peuvent, pour quinze sous, contempler avidement les images usées des vieux films muets. Ils suivent de leurs yeux brillants le détective au visage césarien qui brise d'un doigt habile le faux cigare à l'intérieur duquel les trafiquants cachaient la neige.

A quatre heures du matin, l'âme prêtée aux belles héroïnes de l'écran aux peaux merveilleuses finit de s'exhaler dans les salles de faubourg, en même temps que se dilue l'odeur d'orange.

Il se peut que la pauvre vedette dont le corps doucement se défait, écœurée d'une vie de jalousies et de couchages, détestant ses fleurs et ses nécessaires d'or, ouvre sa fenêtre et regarde monter les premiers feux du jour sur les Champs-Elysées.

MONTMARTRE

Le Sacré-Cœur, érigé sur le vote de l'Assemblée nationale, on s'émeut à le contempler par les soirs de rafale, lorsqu'un chien hurle à la mort au pied du monumental escalier. Il y a encore peu de temps que les ravenelles sortaient de terre dans le petit jardin du chef de gare de l'ancien funiculaire. Avec l'unification des modes de locomotion, le vieux funiculaire a disparu laissant encore le long de la montée une vapeur de souvenir. Du haut du Sacré-Cœur, l'évocation de Delobelle, de Rastignac et des poètes de 1912 peut se faire aux soirs faciles lorsque la littérature, vieux soleil intérieur, aide à la digestion des viandes et du vin, et que vous enveloppe un raglan d'étoffe chaude.

Je me souviens d'un bourg d'enfance, de l'entrée sous une tente glauque et d'une saltimbanque à la robe pailletée, aux paupières bleuies qui dansa.

L'odeur alliacée de l'acétylène se mêlait aux robustes effluves des pins du cimetière, les toiles de la tente ne formaient qu'une imparfaite clôture et ménageaient de béantes ouvertures sur le ciel nocturne. Un hère au veston étriqué chanta :

C'est minuit, Montmartre s'illumine...

Une certaine vie fallacieuse et traître, se prétendant royalement émancipée, celle de ceux qui écoutaient autour des poêles d'ateliers, près d'une marge comme dans la romance, les échos de la noce bourgeoise, fumant des pipes, se souvenant des chants de la moisson, conduit à cette humaine vision du père de Gaston Couté maudissant près de la fosse de son fils « les gars qui l'avaient tué » et refusant de serrer la main aux rapins blêmes ou à nez rouge et à quelques hommes de lettres en gibus.

Et sous les cieux aujourd'hui aussi beaux, des vieillards hébétés remâchent comme une vieille avoine des souvenirs dont la suavité lancinante les aiguillonne : dentelles neigeuses triples et quadruples des anciens pantalons de femmes, jeunes filles dévoyées mortes de s'être trop étranglé la taille dans des corsets crème ou rose et qui vivaient au jour le jour mais exigeaient du garçon de bar que le sapin qu'il devait leur héler fût toujours traîné par un cheval blanc. La fraîche dorure des cafés, la ruisselante perversité de la rose au haut du bas noir, amenaient ces rêves de mille et une nuits artistiques et littéraires dont le fragile secret s'est perdu.

Montmartre possède encore de vieilles nonagénaires, anciens modèles d'atelier, fignolées comme des bibelots ; ce sont elles qui avec les ménagères angéliques aux traits fatigués et les enfants à capuchon du crépuscule conservent à Montmartre sa délicatesse, à teintes de fausseté. Aux alentours de la rue Lepic, centre d'un beau marché de poissons et de viandes, s'agitent de petites femmes qui, prononçant d'enfantines malédictions et marchant sur un pavé défoncé, font craquer sous leurs minces souliers la fine glace des grands hivers. Elles habitent souvent des taudis fleuris tout en raffolant d'hygiène, de grands lavages. Elles vont chercher le lait dans de vieux pots ébréchés et décorés ; parfois n'ayant pas pris le temps de passer une chemise, elles se cachent nues sous un gros manteau de fourrure qu'elles ramènent sur elles, la bouche en cœur.

QUARTIERS

Le coin de prostitution qu'était le Fort-Monjol a été rasé, mais le boulevard de la Villette demeure, avec ses boutiques délavées et ses caboulots emplis de sidis émaciés.

Rue de Belleville, à la devanture d'une marchande de couronnes mortuaires, on a mis en montre une petite bicyclette en perles commandée spécialement par la famille d'un coureur cycliste, pour honorer la mémoire du champion dont elle était fière. Une impalpable poussière de farine venue de la boulangerie voisine tourne autour de la petite bicyclette funéraire.

Le dernier des hommes-orchestres joue dans un bistrot dont le patron a la nostalgie des louis d'or et où l'odeur d'une savonnette à la violette fait légèrement se gonfler les ailes du nez fin d'une jeune ouvrière.

Rue des Cascades, dans le jardin de la guinguette en contrebas, des lurons jouent aux boules la veste tombée.

Rue des Envierges s'allume à peine la petite boutique poussiéreuse montrant en devanture un globe terrestre, un bâton d'encre de Chine à lettres d'or, des cartes-lettres à filet rouge.

Des filles à petites oreilles, d'immenses et tristes cinémas, les grises maisonnettes de l'allée des Soupirs donnent à Belleville-Ménilmontant une préciosité sombre, glorieuse et tendre.

On retrouve du Moyen Age à la première aube aux abords des Halles. Bouchers et fariniers se coudoient dans les cafés ; que de dents saines et de beaux bras. La brève lueur des cuillers et le tendre enveloppement des paumes autour des verres épais expriment l'univers de la vieille peine dont Paris tenace à tout sauver donne encore l'image.

Le matin de leurs noces, alors qu'on met en plis leurs cheveux, quelques filles de mandataires sourient peut-être à la vision en elles d'un globe terrestre couvert de fleurs, parsemé d'animaux et d'hommes et de femmes qui, vêtus de costumes chatoyants, se reposent sous des chênes, sous des baobabs ou des cèdres. Le pied cambré chaussé de blanc de ces filles brille dans la pénombre alors que montent les bruits mélangés du négoce.

Le jour de la messe pour les gens des Halles morts durant l'année, le prédicateur traitant de la résurrection de Lazare s'essaie à revigorer l'image que veulent de Jésus les belles charcutières aux cheveux rouges et les beaux garçons tripiers à l'œil noir. Après la cérémonie, les forts avec leur hotte et leur grand feutre blanc vont saluer dans la sacristie l'archevêque de Paris qui reste toujours le vieillard énigmatique que guettent, en crispant leurs mains énervées gantées de noir, les pieux biographes.

Il faut arpenter les quartiers de Passy et d'Auteuil dans la lumière des étés de la Saint-Martin et pour se décharger du poids du souci ! Les promenades du Ranelagh offrent un sol pelé à l'herbe courte foulée par les bonnes d'enfants. La noblesse des vieux matériaux de construction, des anciens crépis et des mascarons s'affirme sous le ciel tendre, et les maisons de briques violâtres abritent des professeurs rasés chaque matin d'une main tremblante.

Les passants d'Auteuil ou de Passy semblent mieux que d'autres mériter les noms nobles de mortels et de mortelles.

L'après-midi, des conférenciers à la voix éteinte

parlent dans des bâtisses cachées derrière des rideaux d'arbres. Peu de contact d'âme se fait, l'anecdote se sèche sur les lèvres ; la bouche du conférencier veuf parfumée à la réglisse n'exhale pourtant plus l'haleine maladive du matin lorsqu'il grimaçait pour ajuster son bouton de faux col.

Des brassées de fleurs s'épanouissent dans les chambres des jeunes filles, matin au soir couvertes de baisers, point de baisers d'amour. Parfois une cavalière fait galoper son cheval pie avenue Henri-Martin, une rose aux lèvres ; d'autres jeunes filles servent dans de petites librairies de curieux clients. Le soir, aux terrasses sans fièvre, naît la douceur à sentir dans sa main la courbe d'une table, l'évasement d'un verre empli d'un liquide pernicieux mais traditionnel ; il passe une femme en rouge, à cheveux de jais.

Les pensions de famille ont clos leurs persiennes ; rue de la Source, les bénédictins commencent leurs complies. Toute cette paix sera, il se peut, déchirée par une odeur de poudre qui tombera sur les parterres.

Dans les pensions de famille, le vin est à petit degré ; la table est garnie de plusieurs carafes d'eau claire.

Les hautes maisons grises que l'on aperçoit du quai de Bercy ressemblent à celles des estampes dix-huitième. Sur les bords du fleuve travaillent des hommes au torse nu ; des échanges de chaleurs se font, un silence liquide habite les tonneaux.

Au bal nègre du *Rocher de Cancale* un grand diable au visage blanc garde pourtant du sang de Noir. Il vient d'Amérique où il a pu faire rendre lisses ses cheveux crépus, par un procédé inventé là-bas par une vieille négresse qui a fait sa fortune ; il regarde parfois à la dérobée les seules marques évidentes qui demeurent de sa race : les lunules violettes de ses ongles.

Sur les réverbères chantournés de vieux style garnissant le parapet du grand pont il s'est déposé une fine poussière, la même qui entre dans les cheveux de femme, dans leur cou où perle la sueur fine, poussières et sueur formant sur leur corps une légère fange.

Dans les bars sombres peints en sang de bœuf, des ouvriers couverts de poussier de charbon mêlent du vin à leur sang. On entend grincer les roues des charrois. La géométrie précise, primaire et compliquée des roues humanise le paysage, enrichit de reflets les eaux moirées.

Elles ont laissé place de la Bastille une odeur de poudre, les révolutions déferlant du faubourg Saint-Antoine là où les varlopes courent sur le cœur de chêne et où le petit bourgeois converse avec le bistrot aux muscles de fer.

Au pied de la colonne, à la terrasse du *Canon de la Bastille*, l'on voit, sirotant l'apéritif, des commerçants à poil blanc, des voyageurs aux poches pleines d'échantillons, des bourgeois à Légion d'honneur pâlie.

L'adolescent égaré parmi eux ressent cette fraîcheur de griserie qu'amènent les grandes villes quand, pour la première fois, on les aborde avec un désir de conquête et de bonheur.

Sous le péristyle de la Bourse, à midi, des commis juchés sur une balustrade hurlent ; ils ont rentré leurs jambes pour implanter leurs talons sur le barreau de la balustrade, de sorte qu'ils montrent toutes les surfaces de leurs chaussures : l'empeigne en est resplendissante, les boues de Paris ont sali la semelle, le talon est parfois légèrement éculé.

La Bourse présente la copie d'un temple dédié à Vespasien, empereur à grosse tête carrée, de mœurs tranquilles et qui essaya de mourir debout. Elle s'entoure des statues de l'Industrie, de l'Agriculture, du Commerce, de la Justice, figurées par ces femmes drapées qui attisent parfois la faim et l'orgueil des forcenés.

Pourtant de vraies femmes de chair aux yeux couleur de fenaison, aux belles hanches, interrompent les déjeuners boursiers pour retrouver leurs maris qui, la veille ou l'avant-veille, s'endormaient près des voitures de pique-nique lorsqu'elles trempaient gracieusement leurs pieds menus à la source chantante des sous-bois. S'enfuiront-elles un jour laissant un rayon de soleil pâle se poser sur une lingerie abandonnée sur un dossier de chaise ?

Elles se promènent dans Paris dont elles ne voient jamais bien les monuments ; pourtant, un soir particulièrement doux, l'une d'entre elles fit remarquer à sa compagne la flèche de la Sainte-Chapelle dans un ciel de rose fanée.

Cependant, des commises se tiennent derrière les guichets des banques et dans les moments d'accalmie regroupent leur chevelure d'une main incurvée ; elles s'échappent au soir par les rues Rambuteau, Réaumur, Vivienne. Aux terrasses des cafés, des vieillards les contemplent, assis devant un verre d'eau claire qu'aucun sirop ne trouble.

Sébastopol, mot prestigieux. S'il faut évoquer la guerre de Crimée, elle semble pourtant bien loin avec ses bivouacs, ses sœurs de charité à grand chapelet et ses officiers corsetés. Je connais néanmoins un homme de trente-quatre ans dont le père, alors enfant de troupe de seize ans, fit la campagne en 1857. Il menait en 1913 au musée des Invalides son fils tôt grandi qui lui était né la soixantaine passée.

Le Sébasto est aujourd'hui un boulevard capital, avec en même temps que des magasins traditionnels qui approvisionnent de robustes familles rongées par les secrets et fidèles au constat des saisons, des bars à grand débit, à vieilles dorures, à ampoules de couleur, à clientèle louche.

Au musée de l'Hygiène, on peut examiner divers modèles de latrines domestiques, des projets pour wagons impériaux et royaux, des tableaux figurant des coupes d'égout, et où le peintre minutieux, par souci d'art, a aussi représenté la surface, c'est-à-dire la rue de 1880 avec des fiacres et des militaires à collet jaune. Sous les combles du musée sont exposés les moulages de cire figurant des viandes avariées et des poumons de bêtes tuberculeuses. En visitant ces collections un dimanche, arrive à vos oreilles de la toute voisine église Saint-Louis le magnificat vespéral.

Le Julot du vieux Sébasto rôde devant les boutiques des tailleurs civils et militaires avoisinant les rues à mauvais lieux comme le *Bar des Japonaises*, le *Bar des Hirondelles* et cette *Brasserie Franco-Belge* où gémit et rit une vieille Espagnole entre deux belles. Le grand jeu se continue, la tendresse frelatée secourt la combine délicatement ourdie, les têtes simiesques pensent, les mains blanches besognent.

QUARTIER LATIN

On vit au siècle dernier une procession de plusieurs fiacres garnis d'étudiants et de filles aller du boulevard Saint-Michel aux Grands Boulevards et sur le toit de l'un des fiacres, une hétaïre aux belles formes avait consenti à se tenir assise et toute nue. Le trottoir était plein de jeunes gens venus des provinces qui s'épongeaient d'une sueur rurale ; leurs redingotes apparaissaient blanchies aux coudes. Dans un café doré, un grand garçon à la barbe blonde mettait à l'oreille fignolée d'une maîtresse vêtue de mousselines et bête comme trente-six cochons, un coquillage ramassé sur une de ces grèves de France que commençaient à beaucoup fréquenter petits fonctionnaires et commerçants aisés : il voulait lui faire entendre la mer.

On est désemparé devant tout ce pittoresque encore récent qu'il faudrait réduire pour en décanter la vertu singulière : godelureaux commandant des amers, renversés sur les chaises gothiques de la *Taverne du Panthéon*, les pouces dans les entournures de gilet, filles de salle grasses sur qui ne mordait pas l'ambiante chlorose, professeurs mâchant la crudité des radis roses en élaborant des doctrines matérialistes.

Déjà, à même époque, de jeunes prêtres pénétrés par le souffle balsamique de soirs de mai, sacrifiant le soulier à boucle au brodequin à œillets, discutaient autour de la coupole de la Sorbonne dans ce paysage cher à Péguy qui mourrait dans sa « juste guerre ».

Au Luxembourg, les oiseaux se posent sur les têtes des chevaux de bronze de la fontaine de Carpeaux. Le flâneur s'émeut de les voir par une après-midi d'orage, alors que de troubles appréhensions le harcèlent, qu'il voudrait fuir, retrouver d'anciennes sources.

Des étrangers se plaisent à traverser ce jardin où se croisent tant de voix douces. García Moreno s'y promenait avec ses camarades avant que de devenir président de la République à l'Équateur, fervent dévot à la Vierge Marie.

Un puissant été fait passer lentement la couleur

des corsages à bon marché des cousettes et des petites-maîtresses, assises non loin de la statue de Verlaine sur des chaises de fer. Près des parterres de fleurs les vêtements noirs des vieillards tournent au rouge ou bien au vert.

En 1925, beaucoup de petits bars du boulevard Saint-Michel flambaient dans leur misère. On y sentait un relent de peaux de lait et de raclures de croissant. De derrière leurs vitres on guettait les passants. Ce fut l'année des suicides et des vols. Celui-là, qu'on appelait le boxeur, qui se disait batteur d'or, n'était rien moins que voleur de chiens de luxe dans les taxis. Il fut un jour arrêté aux environs du carrefour Jacob, alors que ses amis confectionnaient dans une mansarde une bouillie de blé noir; dans un cabinet voisin, une petite à qui ses vêtements avaient été volés dans un bal de rapins et qui avait dû rentrer toute nue sous un manteau pleurait pour qu'on aille lui chercher une robe chez sa tante de Grenelle. Par la suite, elle accoucha d'un enfant qu'elle voulut nourrir et qui mourut à quelques semaines. Un soir on put la voir saoule, braillante, en grand deuil au bras de deux étudiants rue Saint-Jacques : elle avait sorti de l'échancrure de son corsage ses seins gorgés; au coin d'une rue, des affamés menaient une conversation à voix couverte près de grandes affiches blanches à lettres noires.

Au *Grand Comptoir de la Maubert*, le patron à gilet noir relève jusqu'au coude ses manches de chemise à l'éclatante blancheur. C'est là qu'a lieu le marché aux mégots triés ou non ; là aussi l'on vous offre, comme une aubaine, une paire de chaussures de l'armée belge ou espagnole. Un ancien pour payer sort encore pièce à pièce de ce vieux billon couvert de larmes à l'effigie de l'empereur Napoléon III.

Il importe à bien peu de jeunes gens du quartier des écoles que ce professeur humble mais grand théologien vienne de mourir en Éthiopie où il avait été envoyé en mission près du Négus. Pourtant, deux de ses amis émus parlent de lui, ils en viennent à rompre le pain ensemble dans un petit débit, l'un boit l'eau un peu échauffée, l'autre du vin râpeux. Le poêle s'éteint, ils sont presque seuls et l'évoquent mieux.

Pourtant, dans le square, sous le ciel fané de Saint-Germain-des-Prés, une jeune femme a posé sa tête sur l'épaule robuste d'un vieil étudiant, fils de drapiers ou de laboureurs. Le rapport entre le théologien scolastique, père d'une nombreuse famille et ce couple à l'abandon, on en ressent un instant l'existence dans un frémissement intellectuel auquel participent l'église, le feuillage. Parfois comme font, à l'instant, ce garçon et cette fille, et dans ce même quartier, le professeur suivait le vol d'une hirondelle.

CÔTÉ RIVE GAUCHE

Dans un café du boulevard du Montparnasse, les ministres qui viennent de démissionner se retrouvent parfois pour finir la nuit. Des femmes ennuyées ou ivres passent indifférentes à leur faconde.

A midi, dans des chambres claires, des étrangères se douchent avec une robuste joie, un diamant répand ses feux sur l'étagère ; tel corps de rousse qui se meut avec précision pour atteindre flacons, rouge gras, et rasoir a connu l'étreinte d'un géant russe à l'uniforme vert et or.

Autrefois, le parapluie de Lénine s'égouttait au *Café de la Rotonde*, Lénine qui aimait sa vieille mère, et qui plein de passion et de flair devait émigrer en la Suisse jaboteuse avant de faire sa révolution et de finir icône embaumée.

A Montparnasse, se réunissent des Sémites nébuleux et se retrouvent ces femmes enveloppées de manteaux moutarde ou vert bouteille et qui venues de lointaines vallées protègent et soignent de jeunes poètes à qui elles apportent, en y joignant la remontrance, des fioles d'alcools étiquetées de devises nordiques.

La seule odeur du café chaud est déjà joie pour les modèles à chien du diable : Parisiennes, Marseillaises et Toulousaines, mâtinées de Bretonne et de gitane, Irlandaises même, réchauffant dans leurs mains un petit chat trouvé couleur de feu.

Dans le haut Montparnasse, de jeunes Anglaises aux yeux clairs, filles de jarret, raisonnables et fantaisistes, habitent de petits pavillons du XIXe siècle précédés de courettes fleuries. Fidèles au *waterproof*, elles portent la robe grand soir un peu comme un harnachement sur leur corps très svelte.

Des sergents de ville font les cent pas devant l'ambassade de Russie où les rédacteurs reçoivent l'étranger avec politesse dans les salons du vieil empire foudroyé. Parfois, dans la torpeur grise de la rue de Grenelle, des camionneurs apportent la noble puissance de leurs gestes, portant haut un visage à moustache de bronze. Cependant des poètes chefs, sous-chefs ou simples employés au ministère des PTT boivent le coup de blanc au bar installé dans les locaux administratifs. On les voit se répandre sur le trottoir vers les six heures du soir et, parfois, d'un œil sagace, observer l'étoile du Berger.

L'avenue de Saxe est d'une désolation puissante traversée de relents d'armée. Ces grands garçons à joues roses, à vaste carrure, à regard droit de traceurs de sillons, qui la longent par un jour d'hiver, ce sont de jeunes cuirassiers dépaysés que traversent les visions de quelque lande natale à bruyères violettes.

Pour se rendre aux messes matinales, des familles suivent avenue Lowendal le mur blafard des bâtiments de l'École militaire, alors que près d'une flaque d'eau triste un clairon venu des champs embouche la trompette de cuivre.

Dans une tornade, place de Fontenoy, un officier voit s'envoler son képi qui roule dans la boue ; il le rattrape difficilement, gêné qu'il est par son sabre. A l'abri d'une vieille guérite autrefois tricolore et située à l'entrée d'un bâtiment annexe un planton assis lit un vieux journal maculé de graisse d'ordonnance. Soldat ayant perdu l'âme du mercenaire, toujours il compte et recompte les jours.

Dans les quartiers neufs avoisinant les portes on construit des immeubles ouvriers pourvus de confort. Combien d'hypocrisies, de basses tractations se sont donné cours dans la lutte contre le taudis ; mais maintenant toute une population aspire à l'appartement clair : le lutteur forain, harassé, couvert de tatouages hiéroglyphiques désire, en ce monde défait, des murs peints de couleurs tendres.

La mélancolie automnale s'abat à la porte de Bagnolet. Les vieillards de l'hospice voisin s'y rencontrent tenant proprement la pincée de tabac entre leurs doigts crispés ; ils se rongent souvent d'une sourde jalousie et de leur pas lent cassent la feuille sèche.

Boulevard Ney les casernes sont plus que jamais désolées, les chevaux semblent las, mais les sonneries restent les mêmes qu'au temps où le clairon de

Sidi-Brahim jouait la charge en lieu de retraite sous le regard d'Abd-el-Kader.

Le vieux marchand de vin qui trône à son comptoir au Point-du-Jour vit brûler autrefois sur le fumier de la cour du quartier *Le Cavalier Miserey* d'Abel Hermant. Sur son cheval il se tint rigide sabre au clair, mal à l'aise sous le shako à plumes de coq.

A la porte Maillot, Luna-Park invite aux attractions, toboggans avec rivière-surprise, manège où de jeunes garçons tournent sur une jument calme, jeux d'adresse consistant à faire basculer de la couche où étendues elles bâillent tout le jour des femmes en tenue légère. Luna-Park est plein d'ais pourris, de gazons ras, de tentures délavées; toute une flore : graminées rachitiques, petites mousses, champignons minuscules y prolifèrent sur les attractions humaines.

A la porte de la Villette un tueur des abattoirs hèle un taxi; couvert de sang, abandonnant son ouvrage, sur le seul rapport qu'on vient de lui faire, sans prendre le temps de passer chez sa vieille concubine, il va pour venger son frère, mutilé du Mort-Homme, à qui on a manqué du côté du Vieux-Port. Le taxi le conduit à la gare de Lyon; le soir même il sera à Marseille, dans l'endroit qu'il sait.

A la porte de Saint-Ouen, aux abords de la zone, il reste des filles qui jettent des pierres au flâneur et d'autres à la chevelure aigre, à la camisole flottante sur une poitrine encore vivace, qui racolent pour un litre de vin.

GRANDS QUARTIERS, GRANDE VIE

Les domestiques de grandes maisons dansent le soir avenue de Wagram, comme une fois l'an les charpentiers passants du Devoir. Rentrant à quelque logis de la périphérie et traversant le quartier avoisinant l'Étoile, la rose des vents vous tient au cœur : la noblesse des maisons harmonise l'ouragan qui fait flotter les pans de votre manteau. Personne de réfugié sous les porches et l'on se sent pincé par cette mélancolie qui monte de certains morceaux de musique à plusieurs instruments.

Au matin, dans un grand hôtel, de derrière les vitres d'une belle transparence, l'on peut voir les fines branches des arbres de la large avenue s'agiter de palpitations. Beaucoup d'hommes d'affaires se lèvent dans une aurore safran et inspectent leur dentition, miroir tenu au-dessus d'un palais flétri ; au cours d'une stricte toilette, ils éprouvent la fraîcheur de l'eau muette, le lisse du marbre et le tranchant de l'acier. Des souvenirs d'automne assaillent leur âme.

Cette inquiétante douceur feutrée et couveuse de serpents que le grand capitalisme réussit parfois à établir de par le monde semble, à Paris, à de certains matins s'accompagner discrètement du ramage des oiseaux et de la mélodie d'un accordéon. Cependant les feux de la terre façonnent de nouvelles gemmes.

Dans les cours des hôtels particuliers une mousse fine sertit le pavé.

Dans les appartements où le froid de l'hiver ne pénètre pas, des yeux se sont regardés, et il est de fines horloges pour délimiter le temps qui fait sentir ses ravages sur les poumons, le foie, le cœur et les membres.

Parfois, sur le pardessus de la plus opulente cheviotte d'Angleterre habillant un vieillard, rampe une grosse chenille striée de noir et jaune qu'il ne voit pas.

Grande vie : expression de rêve ; l'on pense à Balzac passant ses nuits à façonner ses personnages selon le rituel humain, au milieu des arômes du café alors que sa puissante haleine cristallisait sur les vitres froides.

L'on pense aux baccarats d'un couvert merveilleux alors que serrée la pluie battait les vitres du *Grand Hôtel Continental.*

Magnifique vie des miroirs dans les chambres. Si d'aventure une de ces grandes glaces se brise par accident ou sous la colère, au fracas que cela fait un frisson parcourt des dos charmants et peut-être celui rosissant de quelque plantureuse fille de plaisir cherchant partout, sous les vêtements, sous le lit, le bouton de faux col égaré par son vieil amant.

C'est l'ambiance du temps où les filles maniaient des louis d'or que veulent toujours maintenir à leurs tableaux de genre certains vieux peintres à coquets cheveux blancs. Dans les cercles, la fumée hautement odorante des cigares de classe se répand sur les cadres des glaces, sur les chambranles et les trumeaux pour former cette patine distinguée qui souvent au bout du compte se prêtera bien à recevoir des giclures de sang.

Le long des derniers coteaux des fortifications, une fillette à peine nubile, au bras un adjudant, se promenait ; ses chaussures strictement cirées brillaient : lorsqu'il crut n'être vu de personne, il embrassa à plusieurs reprises sa très jeune maîtresse.

La chaleur tombait, des voix montaient enrouées, celles de gars qui assis en rond sur l'herbe courte sacraient d'avoir renversé par mégarde un litre de vin épais.

Un homme était assis contre le mur d'une bicoque en planches, on pouvait constater qu'il dessinait des figures et se plongeait dans la mathématique, constatation propre à emplir d'une magnifique poésie le paysage démantelé.

La vue de tourbillons d'insectes entourant des débris animaux fit qu'un promeneur, martelant de son pas le vieux terrain de défense guerrière, ressentit comme Bernardin de Saint-Pierre l'existence des plus naïves harmonies.

Alors il gagna un haut lieu pour contempler Paris étendu sous ses pieds. Il distingua les flèches et les tours. Il situa le vieux Paris des équipages ; de ses valets gourmés et chamarrés beaucoup étaient enfouis aujourd'hui dans la terre de Champagne ou d'Artois sous des croix de bois que les vers entamaient. Il situa aussi les vieux quartiers du crime. Aidé d'une longue-vue de l'ancienne marine, il décela la tache verte des Buttes-Chaumont où l'eau demeure si calme sous le pont des Suicidés. A l'horizon opposé se dressait l'architecture fine de la tour Eiffel, dont la vision journalière morfond les troupiers butés qui font leur temps à l'École militaire.

Mais la longue-vue de l'ancienne marine ne permettait point de tout contempler aux cœurs et confins d'un Paris de lys, de fange et d'or, ni les inscriptions sur les colonnes, ni les mascarons des maisons grises, ni aux terrasses de café les femmes aux chapeaux garnis d'épis et de fleurs, ni la main qui tourne la clenche de la porte, ni le gant qu'on enlève pour dénuder la main à l'heure des journaux du soir.

Le crépuscule de Paris tombe alors que les ministres sortent des conseils et que rougeoie l'électricité des enseignes. Un camionneur à propos d'un rien, dit en riant à son compagnon : « Tire la bobinette et la chevillette cherra. »

Certains, qui n'avaient imaginé de fleurs que comme motifs à romances, cherchent maintenant nerveusement une fleuriste dans le quartier peu passager où sifflent des sirènes. Au fracas des autobus sous le ciel pâle, des cœurs vibrent à toutes les images, à toutes les rumeurs. Tout au fond leur demeure ce goût délicieux des fruits d'un verger d'enfance.

Le Paris chamarré pour l'arrivée des souverains étrangers, c'est celui-là dont rêve près de la nappe des blés ou bien à la chaleur des feux l'adolescent plein de désirs.

L'annonce des grands cortèges fait stationner longtemps sur le trottoir de jeunes veuves aux gestes modestes et fiers tenant par la main un blondin.

L'âme idéale resplendit alors d'un Paris d'Exposition universelle et, dans la foule de ceux qui écarquillent des yeux sur le passage des uniformes chamarrés, il y a des braconniers venus de l'Indre-et-Loire, avec leurs mains couturées lavées à l'eau des sources.

Paris attend l'avenir avec toute la grâce de ses femmes, la féerie de ses soirs, la bêtise chaude autour des comptoirs.

De jeunes hommes s'essaient à une vision claire et s'exaltent à marteler de leur pas les vieilles avenues. Les grosses lampes qui s'allument à la nuit, la possibilité de boire un bouillon un peu gras, redonnent à beaucoup un regain de joie et l'espérance.

Les maisons de Paris attendent aussi et demeurent magnifiquement alliées à la terre, aux bêtes de la surface, à la faune des profondeurs marines. Des hommes vivent et meurent derrière leurs fenêtres grises.

Nuit aux macfarlanes, nuit sournoise. Une lumière mauve décore l'Opéra. Les passants vont retrouver le lit garni de draps bourgeois à chiffre fignolé.

Où sont toutes les aubes passées ? Les duels au pistolet sous la feuillée tremblante, tandis qu'un père jésuite, caché derrière un fût d'arbre, se tenait prêt à absoudre le grand clérical qui avait tout de même voulu se battre ? Où sont autour de Ville-d'Avray chevauchées et randonnées ? Les cochers attendaient, demi-endormis près des porches, la lèvre retroussée, la culotte de peau collant à leurs cuisses sales ; les joueurs de cor harassés finissaient de répéter autour d'une grosse lampe qui filait toujours malgré le jour venu.

ÉLÉMENTS : EAU, FEU, PEUR, MENSONGE, FÉERIE, LARMES

Les familles revenant de contempler les grandes eaux à Versailles avec la grande fille, la mère, le père portant dans ses bras les enfants endormis, marchent à larges enjambées dans la cour du Havre pour prendre l'autobus qui les ramènera à leurs demeures.

La contemplation des jets d'eau, des cataractes et des fontaines plaît surtout aux nostalgiques des cités, ceux-là mêmes qui dans les après-midi éclatantes de l'été, aimaient, soldats rutilants des anciennes garnisons, se coucher à plat ventre près des écluses en mâchant la graminée.

Dans Paris, les pièces d'eau des jardins publics procurent l'apaisement, les bassins recouverts durant l'hiver d'un glacis rose ou vert revêtent une somptuosité souveraine. Les incendies rappellent aux habitants de la grand-ville serrée que toujours sévissent les ravages des forces naturelles : il y a plus de deux lustres flambait le *Bazar de la Charité* et ses grandes dames alors que de jeunes garçons dans la pénombre des cafés embrassaient des demoiselles violemment serrées dans des corsets fleuris.

Place du Panthéon, certain jour, une baudruche gonflée et bariolée représentant un ministre s'éleva dans les airs pour la joie des étudiants appartenant aux partis nationaux. Les sergents de ville regardaient impuissants ; un homme hochait tristement la tête, un ruban de Légion d'honneur saignait à la boutonnière de sa jaquette de serge ; il avait en son temps sabré, mais sans posséder toutes les reliques que gardait autrefois Rollon dans le pommeau de son épée enfermées ; ses mains se crispaient, gantées de coton rougi, un soleil de décembre brillait, les carreaux des fenêtres étincelaient de fleurs de givre.

On peut contempler dans Paris les plus petits gestes d'homme qui laissent une fine trace dans l'univers : un pauvre garçon promène ses mains sur les cheveux d'une amie très jeune, on aperçoit réverbérées dans les verres de ses binocles les lumières d'un coin de rue.

Dans une boutique de tailleur militaire, un saint-cyrien achète pour son shako un casoar. On lui en présente plusieurs, l'un d'eux lui plaît particulièrement, attentionné il caresse la plume.

Un conducteur d'autobus, lors d'un arrêt, fait signe à une grosse dame hésitante qu'elle peut monter, il lui signifie du regard et du geste des bras joints en cercle que si elle reste sur la plateforme, la rambarde courbe dégagée de clients contre laquelle elle s'appuiera bien, calera son ventre contre les cahots.

L'attente dans les antichambres de personnages, avec un cœur qui bat près d'une dactylographe qui rêve à des amours, ramène l'adolescent qui cherche à faire du chemin à sa nervosité angoissée de collégien. Au mur, s'étalent calendriers, listes, cartes et graphiques. Le jeune homme tient en main ses vieux gants de peau jaune déjà lustrés, graissés, fumés par ses toutes premières années de vie publique. Intimidé par le passage frôleur de secrétaires aux allures dégagées, prestes et indifférentes, il regarde la rue où sévissent le soleil ou les vents. Il voit les lourds autobus verts envahis de grappes humaines et parfois happés à la course par un vieux solitaire vêtu d'un manteau terne ; machinalement il touche le marbre de la cheminée dont la fraîcheur lui fait revivre des soifs oubliées.

Dans ce beau Paris que de mensonges gais ou tristes. Autrefois dans les jours dorés lorsque la Goulue arrivait au Moulin-Rouge en attelage à quatre, de mouches tachetée, la lèvre saignante, les dessous de pur fil éclatants visibles à sa descente, alors aussi le mensonge, gras terreau, faisait épanouir de fallacieuses roses.

Non loin de la place Gambetta, existait il y a fort peu de temps une petite bicoque éclairée à la lumière du pétrole, une vieille dame y demeurait et vendait à boire, au milieu de la salle il y avait une table ronde, sur les murs une carte de France et une gravure représentant la prière du soir sur le pont du navire. Lorsqu'arrivait l'habitué hydropique, il s'asseyait à la table unique en compagnie de vieilles personnes à bonnets qui buvaient du vin blanc, puis il monologuait avec difficulté et longtemps. Il décrivait les îles Hawaï, l'Île de Pâques, l'Insulinde, les marais Pontins, la Terre de Feu et disait son tour du monde en voilier. Nul ne pouvait l'arrêter de parler, il fallait qu'il dévidât son rouleau. Enfin mû par le désir d'une soupe aux navets qu'ailleurs l'on trempait pour lui, il se levait, marchait lentement vers la porte, tournait la clenche, laissant pénétrer une bouffée d'air parfumée au lilas. Alors lorsqu'il était parti la vieille dame s'adressant à ces clientes : « Il ment, comme il ment », disait-elle.

Un bourgeois marchant dans les environs du canal Saint-Martin entendit des coups de sifflet qui se répondaient. La peur le prit sous la pluie qui mouillait son chapeau et son manteau pénétrant les cellules végétales mortes du feutre dur et du tissu anglais. A une proche maison un carreau vola en éclats, le sang du bourgeois ne fit qu'un tour refluant de la peau soudain pâlie invisiblement par cette nuit sans étoiles.

Rentré chez lui au chaud, il jeta au panier des catalogues-prospectus et réclames pour corsets, vins, plumes d'acier fin et reprit le masque chantourné du mensonge.

Sous ces mille aspects toujours se déploie la féerie. Dans Notre-Dame désaffectée la fille Maillard, déesse Raison, écœurée d'encens sentait passer sur ses épaules à la Sévigné l'haleine de Chaumette pérorant en carmagnole, en bonnet rouge et en gants blancs sous la rose du vitrail épanouie, elle était heureuse pourtant.

Dans une fin de dîner d'artistes peintres, j'ai vu

arriver en robe du soir la bougnate de la rue Campagne qui joyeusement toute la journée sert robustement vins, cafés et liqueurs derrière son comptoir ; la chevelure édifiée, plus belle que jamais, quoique boitant, car elle s'était foulé le pied en descendant tirer le vin à sa cave, en grande peau, la dentelle noire faisant ressortir sa blancheur elle fut fêtée. Plus réservée qu'à son comptoir, la figure adoucie, le cœur aussi vaillant, elle souriait aux ovations et bientôt retrouva tout le beau naturel de son vert langage.

Tant vont, cherchant confusément le don des larmes dans les jardins publics et les rues besogneuses, en rattrapant le tramway ou l'autobus à la carcasse brûlante en août ; ou bien montant l'escalier à tapis feutré qui conduit chez leur médecin, ou bien l'escalier nu qui mène chez leur pourvoyeur et créancier. Bien avant d'arriver jusqu'au sixième de celui-ci, ils l'entendent clouer sur de la chaussure, ils devinent son rictus, près de lui rougeoie le litre entamé, autour de lui se dressent des meubles étrangers. Bien plus tard tel de ces débiteurs reverra en démolition l'immeuble où habitait le prêteur de sa paroisse, il sentira lui monter les larmes car de béants pans de mur montreront des papiers à tapisser de diverses couleurs : saumon, bleu ciel, vert cendre, s'effeuillant l'un sur l'autre.

Une composition picturale d'ensemble froid peut cependant faire sourdre les pleurs par la splendeur d'un mollet parfaitement dessiné, d'une cheville à point ouvragée. Aussi, sous le ciel de Paris, peut-on sentir se mouiller ses yeux à la seule vue d'un banquier, d'un soldat ou d'un maquereau si parfaitement eux-mêmes de contours et de réactions si nets dans la paix de la rue vivante.

Un abstrait théologique naît de la rue dépouillée par l'aube. Par l'entrebâillement d'une porte vous arrive un arôme de café qui emplit un bout de rue. Là où les pavés ont été enlevés pour des travaux de voirie la terre s'est gercée comme aux champs.

La porteuse de pain croise le fichu noir, travail des veilles de sa mère, sur sa poitrine.

Dans un bar du quartier Saint-Lazare, le garçon en manches de chemise, une serviette nouée autour du cou, passe un chiffon sur les nickels, quand une créature entre qui réclame un crème bien blanc. Nul ne peut s'apercevoir que sous une rêche jaquette elle est nue. Une inavouée pauvreté la ravage. Elle a toute la nuit cherché dans les cercles un ami. On la chassait : elle entendait le choc des boules d'ivoire sur les billards lisses, si doux, tout comme autrefois.

A la station de l'Étoile, la circulation s'est

interrompue : un homme vient de se suicider; il portait des gants rouge *steeple-chase* et une moustache teinte qu'il mordillait parfois, et le goût amer de la teinture était celui de toute sa vie.

Dans certaines rues, toute une alimentation déborde des trottoirs; on a tôt pourvu les hôpitaux et les prisons; maintenant, des ménagères jolies ou laides, mais dont les mouvements s'accordent avec le cours des astres, marchandent les légumes, les fruits, les viandes rouges.

A midi, les employés du Phénix, de l'Abeille, de la Prévoyance, sortent de leurs bureaux. Les étalages rutilent, la lumière du jour se décompose en sept couleurs dans le biseau des glaces.

L'après-midi, les femmes sortent avec tous leurs fards. Les oisifs courent aux attractions, vont par exemple voir un homme qui se condamne au jeûne dans une cage de verre : les esprits forts discutent de ce phénomène, l'un d'eux prétend que les boutons de sa vêture sont comestibles et constitués d'extrait de viande solidifié. Quelques dames, comme autrefois Eugénie, l'impératrice, visitent encore les taudis.

Cependant, le temps qui gouverne les phénomènes de frottement, de dessiccation, de fendillement, agit sûrement sur le bois, le métal et les pierres. L'eau croupit dans les vasques de jardins, un gras terreau pénètre dans les crevasses des bancs de bois, sur qui se sont assises des veuves en pleurs, dont les gants de noces en chevreau blanc gisaient dans des chambres de quartiers éloignés, près de l'œuf en buis servant à repriser des bas.

Dans les théâtres, le velours incarnat pâlit, au soir les puces sautillent même aux galas, et des insectes taraudent le buste vigoureux des cariatides.

Pour retrouver la fraîcheur de ses anciennes nuits, le paysan transplanté monte jusqu'à la petite place qui se situe non loin de la rue des Envierges. Aux alentours subsistent beaucoup de petits jardins soignés, et parfois le noctambule, inquiétant mais doux, de ces parages, voit le plant de poireaux que découvre la lueur d'un éclair.

Des couples sortent d'un cinéma dans une rue bordée de grandes maisons ; des images de dames à diamants occupent les cervelles. Un pigeon échappé d'un laboratoire et à qui on a enlevé le bulbe rachidien titube sur un trottoir. Plusieurs filles l'examinent avec cruauté, l'une d'elle, suave comme une madone d'Italie, porte le bras en écharpe parce qu'elle a été blessée par un amant féroce à peau ambrée.

Sur les avenues et boulevards, le souffle des dormeurs sur les bancs agite une seconde une feuille morte. Dans le fond des cafés, au cœur noir des petits hôtels, des gens rêvent tout haut.

L'arôme vanillé des chocolats de qualité à la fumée dense, consommés encore dans quelques discrets salons de thé, n'est perçu que des chiens errants qui jouissent d'un odorat plus délicat que celui de l'homme.

Les grelots des chevaux conduisant les voitures maraîchères éveillent les vieilles mendiantes au sommeil léger.

Quand il est quatre heures du matin, dans sa roulotte de la foire du Trône, le dompteur se relève pour donner à boire aux lionceaux couchés dans le lit conjugal un biberon de lait mêlé d'eau minérale. Son dolman orange est suspendu à un clou. Son épouse dort dont la chevelure rouge est répandue sur l'oreiller brodé de lettres entrelacées.

C'est l'heure où Hugo voulait qu'en quittant le bal la vierge prît froid et devînt, après avoir par tout son corps brûlé d'un feu ravageur, une statue de marbre : l'homme de la *bouche d'ombre* pour qui l'azur gardait toujours un envers sombre se sentait hanté par la splendeur du froid nocturne tombant sur les poitrines d'anges.

Le 31 décembre 1899, plusieurs bourgeois tinrent à veiller pour saluer l'heure précise de la fin du siècle, et, sur le coup de minuit, emmitouflés dans un cache-nez, ils allèrent quelques instants sur leur balcon pour contempler le ciel des temps nouveaux.

Les lieux de plaisir regorgèrent de viveurs, et l'on célébra dans les églises des messes de nuit.

J'aime le Paris dépeuplé des jours d'août. Au matin, s'assoient sur les bancs perlés de rosée, ces gens à front bas, aux mains grises et plissées, que le seul hasard fait vivre dans les capitales, et qui refont toujours des calculs.

Cependant le grand faune mallarméen, descendu des campagnes idéales et des bois planétaires, fait son apparition derrière les frondaisons des impasses et des squares.

Les blanchisseuses de fin servent la grandeur du Paris estival. Elles emploient ces escouades d'ouvrières au corsage clair qui, la tête penchée, tiennent d'interminables conversations dont la vie tourmentée des rues voisines fait la plupart du temps les frais.

Ce peut être l'une d'elles qui, rentrant dans sa chambre, ayant défait ses minces souliers, en jupe nattier, collerette blanche, se couche en travers du parquet, y collant son oreille, pour entendre une voix d'homme qui monte de l'étage d'en bas, voix de celui qu'elle aime, mais qui tient moins à son sourire qu'à la belle horloge à carillon de Westminster qu'il couve des yeux, comme un paysan ses arpents.

RUES

On voit une façade à revêtement jaune, en un jour de soleil et, à l'une de ses fenêtres, une femme douloureuse et penchée.

Dans la rue se tiennent un sergent de ville, des terrassiers. Le vin rouge des vignes de l'Hérault et de l'Algérie coule dans les mastroquets où des serveuses à la sueur fine rient, épongent la toile cirée, frottent l'étain noble des comptoirs.

L'arbre unique de la cour parisienne se pare de ce vert de l'Ile-de-France qui fait alliance avec le gris le plus somptueux.

Les conversations parviennent de partout. Les mots vulgaires apportent tellement le don de vie qu'on voudrait approcher fraternellement toutes celles qui les prononcent, autant sur les trottoirs que chez elles près des petits fourneaux astiqués. Dans l'air, les odeurs humaines se mélangent à celles du vinaigre, de l'oignon, des fritures, qui arrivent des fenêtres ouvertes, fenêtres donnant sur le Sacré-Cœur, sur Notre-Dame ou sur un cimetière.

Chaque jour permet de transcrire sur l'ardoise amère une merveilleuse carte du tendre. Il faudrait y mentionner la rose peinte décorant en plein midi le haut de porte d'un bordel de Grenelle, les obscurs graffiti sur le mur d'une église de quartier bâtie sous le Second Empire, le geste de l'enfant du faubourg qui, pour cueillir un moment de joie sous le ciel, pose à plein la paume et les doigts étalés de sa petite main sale sur la muraille brûlante.

Les flâneurs attristés lorgnent des cartes postales galantes, leurs semelles s'usent ; les pluies froides ou chaudes y firent des trous larges comme des écus royaux.

Dans les squares reverdis des mères ouvrent leur caraco pour allaiter leur enfant, un peu de galon d'argent luit au col de tunique du gardien. Dans les épiceries, les commis remplissent de sel gemme des sacs gris. A la porte de sa boutique, la crémière suce le sang d'une petite blessure faite à son doigt. Les serruriers cisèlent des clefs. Les tripiers exposent sur le marbre des cœurs de veau.

Les ménagères aux grands yeux, petites épouses

frileuses dont la peau de satin s'use doucement sous des laines, achètent chez les marchands de couleurs les produits de l'industrie chimique : eau de Javel, savons blancs à tête de chat, savons marbrés de veines rouges ou bleues. Aux terrasses des cafés, le sirop répand un instant un nuage délicat dans l'apéritif scintillant, un verre se brise, un enfant pleure.

Le silence emplit toute une rue où par une fenêtre on aperçoit un dos nu de jeune fille à sa toilette.

On est parfois conduit dans ces rues sans charme spécial ni classé, qui demeurent comme abstraites, où le soir tombe plus simplement, où les heures sonnent plus distinctes, rues que d'un coup rend célèbres un mystérieux assassinat.

Dans certaines, à façades du début du siècle, ornées d'identiques balcons, habitent ces tristes couples qui, dans un décor criard, au milieu d'un mobilier déteint, se livrent à des fêtes charnelles : le journal du soir est déplié sur la chaise, les souris rongent un morceau de gruyère abandonné dans une soucoupe. Toutes choses qui font partie d'une nuit de Paris alors que le vent siffle, comme il sifflait dans l'ancien temps, lorsque les chouans pratiquaient des reconnaissances sous un ciel exempt d'étoiles.

Il est doux de remonter avec un ami ces rues neutres où le regard n'est point distrait. Sous les pas, l'on sent le rassurant assemblage des pavés, alors l'on se parle, l'on se revigore le cœur, l'on se livre à des discriminations, des mises au point ; à peine entend-on un passant qui siffle, à peine voit-on un grand lévrier qui suit son maître absorbé de la même allure noble dont il le suivrait dans un sous-bois d'automne.

C'est sur le trottoir de ces rues, sous le cigare lumineux des bureaux de tabac qui vont fermer, que l'on resserre de chers liens de fidélité, que l'on évoque encore une fois quelque splendide image, tandis que tout près de vous deux agents de police s'entretiennent d'un examen qu'on leur fera subir pour l'avancement et où il s'agit de bien connaître l'orthographe, les fractions, les divisions à chiffres décimaux, mais point pourtant la marche des constellations.

Un homme du Finistère suit la rue Réaumur. Une odeur de graillon monte autour des arbres nains à la terrasse d'une gargote où l'on affiche du potage argenté. Des employés s'invitent à boire l'apéritif nocif qui leur procure un confort traditionnel. C'est vers le quartier du Temple que se dirige le Breton, il tire de sa poche une courte pipe blanche. D'un café ocre où ils ont bu dans des verres à pied du thé au citron, sortent des juifs avec leurs valises de gemmes, d'aucuns cachent des plaies, d'autres échappèrent à des naufrages ; ils portent des complets d'étoffe ordinaire grise ou marron et ne fument point. Le Breton taciturne entre boire un café au lait ; eux se dirigent, jaseurs, vers la rue des Rosiers, ils vont revoir cette femme grasse qui somnole presque tout le jour sur un édredon pivoine, d'où s'envolent par les crevaisons de la soie, sous la caresse de la brise malodorante, les flocons du duvet d'eider.

Un cheval écumant dans l'ardeur de juillet descend emballé la rue des Envierges. Les enfants se réfugient dans les loges des concierges. La petite marchande portant la coiffe du Berry tremble dans sa boutique dérangée de sa rêverie : elle se souvenait de ce jour où de bizarres globes de couleurs apparurent autour du soleil, et aussi de la vipère qui rampait vers l'instituteur couché sur le ventre dans le petit bois jaune et tout à fait ignorant du danger.

Un maréchal des logis en permission s'élance pour maîtriser le cheval, tandis que son cavalier insouciant bat les cartes au café de la Vielleuse, là où sur la grande glace étoilée par un obus de la guerre est peinte la joueuse de vielle à bandeaux noirs.

LA FÊTE

Tout un peuple à la foire du Trône écoute Pezon bonimenter, dans son dolman bleu de ciel à brandebourgs noirs ; des jeunesses au bras de souples gars cambrent leur taille.

Dans la foule un quidam reconnaît le dompteur ; ils sont allés ensemble au lycée autrefois, ils se congratulent et Pezon concède, à l'ancien condisciple, l'entrée gratuite.

Le ciel s'emplit de réverbérations jaunes : l'orage couve sur Paris ; le sang bout dans le corps épanoui de jeunes filles qui font de lourds efforts et pincent leurs lèvres pour garder un calme à leur visage ; la nièce du dompteur sourit, les fauves dans leur cage regardent distraits les grosses mouches qui se posent sur les déchets de viande brune. Dans la prunelle grise du flâneur sertie dans le blanc d'œil traversé de petits filets de sang, s'inscrivent en une belle composition terrestre, la ménagerie avec ces panneaux figurant des voyageurs attaqués par les tigres, les montagnes russes que décorent de grands chevaux neigeux ferrés d'or, la boutique blanche et rose où sont suspendus les écheveaux de guimauve, le visage cuivré de la gitane jeteuse de sorts. Seul, avec son chapeau de paille au milieu des foules, le petit-bourgeois moraliste épie des cœurs luxurieux et glacés. Sa canne de coudrier vernie par ses soins vient des bois de Meudon, la poche de son gilet s'est bosselée par la pièce de dix francs qu'il y garde toujours incluse. Les musiques du cirque réveillent un instant son œil morne, l'odeur des frites agace sa narine. Le soleil perce enfin et fait luire dans une poussière étincelante les pylônes de l'avenue du Trône.

JOURS D'ÉMEUTE

Nous mangions lorsque éclata l'émeute et laissions couler dans nos bouches le jus des poires fondantes. En bas, dans la rue, de très vieilles commères levaient les yeux vers l'horizon rougeoyant comme jeunes elles le faisaient au temps de l'Empire croyant voir au ciel le sang des soldats. Une voiture conduite par un chauffeur à casquette-képi trouvait difficilement sa voie ; un chien blanc à taches de feu dormait seul sur les coussins. Au café *Weber* des femmes confectionnaient de la charpie et leur visage reprenait l'expression facilement d'infirmière. D'aucunes étaient frêles, mais d'autres musculeuses avec de gros avant-bras qui ne se ressentaient plus du hâle des plages. On apporta sur une civière un jeune journaliste à moustache qui avait fait son chemin dans une feuille du soir. Nous l'avions connu au quartier Latin au temps où, sans même se livrer à la débauche, il ne faisait rien à longueur de jours, ne mangeait pas et ne se plaignait pas. Évanoui et ensanglanté, il tenait un coupe-file dans sa main crispée. Chacun s'indignait de ce que les gardes mobiles aient chargé. On entendait autour de soi parler d'anciens combattants, de camelots du roi, de droits du peuple et même de jeunesse dorée. Le ministère de la Marine flambait, disait-on.

Au soir d'une échauffourée de l'autre siècle, un homme courait comme poursuivi par toute une meute, pourtant plus rien ne remuait autour de lui qu'un peu les frondaisons.

Près du Père-Lachaise, les hommes de la garde à cheval venaient pourtant de charger. Le sabre de l'un avait tranché la tête d'un enfant qui rentrait à la maison avec sa boîte à lait, la terre entre les fissures du pavé avait bu le lait pauvre et le visage du garde homicide avait été éclaboussé d'écarlate.

Le lendemain, on retrouvait les charpentiers de Soubise et l'apprenti aux paupières rougies et gonflées marchant sur les copeaux. Dans les soupières de chacun fumait la soupe aux poireaux; du bistrot d'en face sortait gesticulant celui que vieux sublime on appelait le papa de Clémentine; à près de soixante-cinq ans, il vivait avec une fraîche dentellière au point d'Alençon, beau brin de fille au sourire fastueux qui se portait comme un charme quoique sa poitrine fût savamment emprisonnée.

FILLES

Dans les jours mauvais quand les chaussures spongieuses s'imprègnent d'eau bourbeuse, elles attendent avec leurs parapluies de bonne qualité à baleines fortes. Elles accostent des passants solitaires ou ces trois ou quatre, appartenant à un orphéon étranger de passage et qui cherchent un porche pour refuge alors que la pluie goutte de leur casquette à lyre d'argent.

Dans le quartier de la Chapelle, les filles font le guet à l'entrée des petits hôtels pour la débauche, décorés souvent de céramiques vertes et roses que les pluies ne décolorent ni n'entament. Des bordels couleur chocolat, sortent des hommes massifs, et parfois candides, cela sous tous les ciels bleu, gris d'argent, fauve. Au fond des petits cafés brumeux ou ensoleillés décorés de lilas qui se fanent et dont quelques-unes des petites fleurs tournent au roux, des freluquets aux mains blanches, aux bagues mirifiques manient sous l'œil-de-bœuf les dames et les rois.

La fille rentre dont le teint s'abîme mais tient encore pour quelques années – ainsi ont prononcé ceux qui la jaugèrent pour le profit. Quelles enfances l'habitent ? Quels parcours sur des routes fulgurantes où buvaient près des tas de cailloux blancs de rougeauds cantonniers, quel grand-père méchant ou malicieux peut-être levant son bâton dans le chemin creux et s'arrêtant à écouter le merle ?

Elle tourne le bec-de-cane du bistrot-restaurant-hôtel : *Hôtel du Cantal* ou *Hôtel de la Nièvre* ; l'homme l'attend devant la chopine, la grosse assiette, les douze huîtres. Le patron la regarde furtivement, il porte gilet de tricot, serpillière, et surveille toutes choses. Le mâle reste silencieux, la femme ne commande que des plats à bon marché. Il ne desserrera les dents que dans la chambre à l'heure des coups bien en place, il entrera alors dans les reproches : « Pourquoi l'a-t-elle empêché l'autre soirée de faucher ce poulet qui eût été toute viande ? »

Boulevard de la Chapelle l'on rencontre parfois l'homme au visage glabre, à binocle d'or. Il marche dans l'air empli de miasmes au tourbillonnement imperceptible réglé par d'immuables lois : poussières de charbon, de lainage, de poudre de riz, de peau morte ; il s'arrête à regarder une vitrine de brocanteur, il y voit le certificat de bonne conduite accordé à un zouave, un réchaud de cuivre et une épée vert-de-grisée, une pluie fine se met à tomber, l'un après l'autre les parapluies des filles se tendent, il tend aussi le sien avec précaution.

Cet homme désire-t-il rencontrer pour lui parler dans les yeux une de ces brunes amorphes, neurasthéniques, qui soupirent en laçant de hautes bottes mais ne frémissent plus au passage des régiments ?

Aux soirs d'été, quand le soleil a chauffé l'asphalte, quand les locomotives quittant la gare du Nord soufflent leur fumée vers un horizon de dragons rouges où se reforment les orages, l'adolescent sans feu ni lieu va s'asseoir sur un banc du square de la Chapelle. Il contemple les pauvresses somnolentes, l'abandonnée parée de bijoux pauvres, les prostituées grandes et larges, parfois très frêles, qui frôlent les grilles. Reposé il s'éloigne au hasard parmi les rues environnantes, les cordonniers sentent le cuir, les bouchers sentent le sang, les blanchisseuses la fine sueur.

Les filles du boulevard Richard-Lenoir connaissent le plus bel argot. Au passant maugréant à leur offre, elles crient volontiers : « Ah ! va donc, miniature des prairies. » C'est la périphrase pour dire vache.

Celles de la rue de la Harpe se montrent souvent fatiguées et plaintives, elles détiennent un plus grand sens de la réserve. L'une d'elles, Bretonne, toujours frileuse et ne sachant pas lire, habituée d'un petit restaurant de la rue Saint-Séverin n'y voulait manger que du poulet rôti, toute autre nourriture lui donnant, affirmait-elle, des nausées.

Quant aux filles de la rue Saint-Denis, elles peuvent dans la douceur de certaines heures, lorsque, connues et acceptées de leur quartier, elles devisent au seuil des portes, évoquer la simplicité campagnarde : une certaine quiétude des cités rejoint, sans effort, pour le cœur, cette paix des campagnes au milieu des nids qui vont s'endormir.

Quelques-unes des racoleuses de cette rue portent la jupe plissée des Halles et se chaussent de hautes bottines à talon rouge ; les jours où elles se reposent du métier, elles font venir près d'elles leurs enfants élevés aux environs de Paris et vont au lavoir laver leur linge. Beaucoup parmi elles n'entretiennent pas de souteneur. Les travailleuses des Halles leur parlent avec politesse. Certes quelques-unes, fortes en gueule, font des pieds de nez, relèvent leurs jupes dans la colère, mais d'autres restent fort silencieuses. Difficilement, elles consentent à sortir de leur quartier, elles sont méfiantes extrêmement, et sensibles aux saisons.

Boulevard du Montparnasse, à la Madeleine et à Montmartre, les filles se chapeautent, appartiennent au genre « belle-de-nuit ». Quelques-unes peuvent *se sauver*. A Montmartre, dans certains cafés, elles forment des escouades entières qui se débinent et hurlent ensemble.

FEMMES

Tout d'abord on les voit toutes pareilles, l'on se dit qu'il faut avant tout connaître la ville, qu'un jour on les retrouvera pour leur parler. Plus tard, après des années, l'on perçoit le léger souffle de l'une d'elles arrangeant ses cheveux dans une glace de la rue. Elle porte une robe impeccable, qui l'avantage ; son visage n'indique point spécialement l'intelligence mais elle s'est soigneusement maquillée, avec le rouge et la poudre, simplement pour obéir aux usages de la cité. Un autre jour ce sont toutes qui se mettent à vivre autour de vous. La variété de leurs parures confond. Il en est dont la modeste élégance irradie splendidement ; on les croise au cœur des faubourgs lorsque les ménagères soucieuses achètent avec circonspection les légumes et les viandes, créatures venues de toutes provinces de France mêlées à celles dont le visage et le corps crient l'Italie ou l'Espagne.

Dans les quartiers serrés, au flanc des buttes passent beaucoup de ces femmes vivant dans l'odeur d'oignon et de lavage dominical qui monte des cours. Elles corrigent toutes ces odeurs par des extraits à bon marché et parfois quand leur âme se garde très pure par un extrait de prix que n'a point offert un amant. D'autres sont aussi heureuses dans l'odeur encore neutre des bâtisses modernes. Toutes autant qu'elles sont : piqueuses de bottines, petites mains, manucures penchées, étalagistes courbées longtemps le jour et le soir redevenues si droites, restées si saines sous le crépuscule, toutes on les voit marcher et rentrer au logis, filles ou petites épouses dans les rues descendues du ciel.

Par une fin de journée où couve l'orage, l'arpette rentre, monte prestement jusqu'au palier du cinquième empli d'un sale couchant. La concierge criaille au fond d'une cour, la trompette d'un enfant résonne, sa mère le fait taire d'une voix acide.

Alors le seul bruit de la machine à coudre filtre de dessous la porte écaillée de l'ouvrière à domicile.

C'est elle qui possède des photographies plein sa chambre. Au musée du Louvre elle a vu le Régent, qu'on dit le plus gros diamant de la couronne. Est-il vrai ? Est-il faux ? Le père dit qu'il est faux en buvant son absinthe par les soirs de canicule ou de frimas.

Quel venin, quel bas amour-propre et quelle bêtise chez certaines de ces femmes bassement arrogantes qui travaillent dans les ministères et qui cherchent chez leurs jeunes compagnes des souffre-douleur. La conversation reste toujours sur le ton : « Eh bien, ma petite, vous en avez de la santé », ou bien : « Moi, je changerais la forme de vos manches. »

Si elles déjeunent au bureau, chacune dénigre l'autre qui « rogne sur sa vie » ou « mange des choses malodorantes ».

Et puis on n'oublie pas de renchérir sur l'appétit sexuel des maris, d'en discuter et des heures et de la fréquence.

De telles scènes, on voudrait les dessiner d'un trait fébrile, les teinter d'un triste lavis ; elles appartiennent au tragique de Paris. Il arrive parfois que personne ne vienne pour prendre par la main celle qui, grave et pleine de ressource de joie dans la pire sentine, se réconforte d'espoir. Personne ne trouve le temps de venir pour la parer, pour la soigner comme une vigne.

Beaucoup de filles de bourgeoisie cachent au fond d'elles une vie passionnelle. La démarche alerte, le corps lavé, elles traversent les jardins, leurs ongles aux peaux strictement coupées rougis par un pinceau minutieux. Elles vont retrouver l'amant dans d'anonymes chambres.

Elles demeurent aux prises avec les hommes partout, dans les autobus, dans les escaliers des lavabos où des mains à poils roux se posent sur leurs épaules, dans les rues calmes de Passy où habitent encore les fils de rustres jardiniers. Elles rentrent à l'heure des lampes éclairant les faïences de la table mise, la légère fange d'une journée, apportée par les brises, s'est posée sur elles.

Charles, sous l'empire duquel le soleil ne se couchait jamais, suscitait la tendresse posthume de cette agrégée d'histoire au cerveau brûlé jusqu'aux cendres et qui lissait ses cheveux de joconde dans un éclat de miroir brisé.

Elle qui, toute jeune, assise sur les bancs de pierre des jardins d'Auteuil, regardait les arboriculteurs consciencieux couper le jet gourmand non loin des cloches à melons fulgurantes, n'est plus que la risée des habitués du bistrot. Elle se coiffe d'un grand chapeau à fleurs, se vêt de velours rose et pose parfois sur sa langue de petits cailloux de glace. Autrefois, lorsqu'elle ne divaguait pas dans les salons du *Continental*, elle montrait aux jeunes gens les marques que les bracelets laissaient à ses poignets et à ses bras. Elle prenait si harmonieusement les petites tasses entre ses doigts, que l'émotion poignait les amoureux en chapeau de soie.

Une fois elle était rentrée au bras d'un monsieur âgé, par les quartiers très calmes et avait frémi au hennissement d'un cheval qui brisait le silence.

Il est tout un peuple à petits bijoux, à voix fluette, nasillarde ou têtue. Les hommes boivent avec souci des rites et parlent un langage à sentences. Les femmes caquettent au lavoir, à l'épicerie.

Ce peuple parfois charitable arde aussi souvent d'une haine fignolée. Manouvriers, artisans, le composent, qui, sans religion ni vrai parti, aiment la chamarrure et la belle besogne, qui non plus ne sont pas incommodés par les odeurs aigres et fortes. A l'heure fraîche, leurs mains se serrent brillantes de poussier de charbon ou de limaille de bronze.

De telles gens dans le magnifique Paris font qu'oubliant toute théorie et tout système, on ne pense plus qu'à ces très beaux objets : un gros verre à côtes, si épais qu'on peut le jeter de haut sur le plancher où il roule sans se briser, une assiette lisse, bien creusée, ourlée d'un filet bleu.

A ce peuple appartiennent ces femmes entre deux âges, à la chevelure neigeuse qui travaillent dans le jouet.

Au fond des loges, les concierges continuent de vivre au milieu des bibelots et des chats. Le ragoût qui mijote sur le feu dégage des vapeurs odorantes qui pénètrent les fissures du mur et les rainures du plancher. La télégraphie sans fil répand les bruits du monde, les discours illustres, moins magiques que ces ragots que colportent les ménagères à la concierge, bouche à bouche, par les soirs de pluie. Elles parlent, tandis que leur mari se morfond, avide de soupe aux poireaux, dans la salle à manger toute petite où les vieux sont morts.

Dans le même temps, seul dans sa chambre au-dessus de la loge à l'âcre chaleur, un jeune homme dans la froidure pense aux rois de Juda et aux richesses de Salomon. Il s'avère de souche paysanne, bien découplé, habillé d'un drap qui fut beau.

Des hommes de bonne volonté emplissent les rues. De leurs yeux de myope, un cabas à la main, les manchettes dépassant des manches d'un veston noir aux reflets argentés, ils consultent les étalages d'alimentation, aux noms parfois baroques : le *Tombeau des lapins*, l'*Alimentation des Martyrs*.

Ces mêmes, redressant leur taille, se détachent souvent sur un fond de photographe, la moustache débonnaire, la main posée sur un petit meuble ; à ce moment par la fenêtre les cuirassiers passaient, mais l'heure n'était pas à les contempler, il fallait fixer l'objectif.

Dans quelle Chine étions-nous ce soir-là égarés. Un ciel magnifiquement peint variait lentement autour de nous. Une petite maison à jardin recueillait les lueurs.

Le square voisinant la place Gambetta déployait des frondaisons jaunes ; la boutique d'un pharmacien répandait son odeur de cassis. Une femme en sortit parfaitement dessinée sous sa robe. Dans son officine, le pharmacien mêlait les poudres au julep.

Des hommes vinrent, l'un après l'autre, dormir sur des bancs. Leurs revers de veston se tenaient encore. Leur corps se tassait ; parfois, une feuille tombait sur eux.

Cyra était grand buveur d'amers. En sa jeunesse il fréquentait des camarades poitrinaires ; bravache et d'aspect bon hercule, pour montrer qu'il craignait peu la contagion du mal, il avalait leurs glaires dans un mélange toujours ainsi dosé : deux tiers Picon, un tiers gentiane.

Un midi d'hiver, Cyra, moustache blanche à la gauloise, le torse pris dans son chandail framboise, arriva chez son marchand de vin. Il prit place devant chopine et portion fumante et sortit de dessous sa chemise un moineau qu'il avait ramassé moribond dans la neige et placé sur son cœur. Il tenta de le ranimer, lui offrant doucement des becquées de pain.

Chacun savait Cyra costaud et personne ne manifesta son sentiment vrai ; il coupa d'ailleurs court à toute appréciation et prononça : « Moi, je les aime ces petites bêtes-là, c'est les voyous de Paris. »

Ses efforts restant vains il replaça l'oiseau au chaud sur sa poitrine et mangea pendant un temps silencieusement pour bientôt le reprendre dans le creux de sa main et s'essayer de nouveau à le faire revivre.

Le poêle au rouge ronflait, alors le patron qui vaquait autour des tables n'y tint plus et tout respectueux qu'il fut de Cyrano : « Fous donc ça dans le feu », hasarda-t-il, haussant l'épaule.

Mais Cyrano, la tête redressée, le sourcil tendu :

« Ah, pourquoi, si je t'y mettais, toi », répliquat-il, remettant en son giron la bestiole toujours inanimée.

– Moi, on peut pas, je suis trop gros, reprit le patron.

– T'en fais pas, je te couperais en morceaux pour t'y mettre, assura Cyra.

C'est alors que par l'ouverture du chandail le moineau, soudain revivifié, s'envola.

Le grand buveur d'amers le cueillit dans son vol, alla le lâcher dans la cour, revint vers tous et dit : « J'y ai donné la liberté, il est comme nous, y a droit. »

Le souteneur à casquette de soie maniait, sous la lyre à gaz, les dames, les rois et le valet de cœur. Aujourd'hui, il appelle la dame la femme : n'y a-t-il pas la femme de carreau, un peu mégère, la femme de cœur à la gorge fleurie, la femme de trèfle à la fine cheville ? Tout encore de nos jours se passe dans un décor de gare du Nord. L'on entend le sifflement des trains partant pour Calais. Square de la Chapelle, des femmes allaitent leurs petits. Les vieilles taches de sang se caillent, se fendillent, tombent et se résolvent sous les piliers de fonte du métropolitain aérien. Autour des chanteurs populaires se groupent des filles aux corsages grenat ainsi que de jeunes soldats d'aviation qui n'ont pas encore reçu le baptême de l'air et qu'habitent un démon dormant, un secret et l'instinct d'aventure. Ils ne dessinent plus sur les tables en s'aidant de macules de vin comme les reîtres leurs ancêtres, mais ils convoitent, pour parader sous les climats de pays non tempérés, la manchette fine et blanche ou celle d'un bleu discret.

Les mots de passe sont toujours donnés d'une génération à l'autre ; il semble cependant que le temps du « beau crime » soit passé et celui de l'apache trop voyant. Certaine terreur de la Maubert se complaisait alors à tuer un passant sans motifs, simplement parce qu'il sifflait et agaçait ainsi ses nerfs de brute ; les aminches en s'asseyant dans le fauteuil de leur coiffeur déposaient avec tranquillité leur browning sur le marbre.

Cependant les jeunes de la pègre continuent de vivre ; ils retrouvent le goût des bonbons poisseux de leur enfance : cerises rouges, bâtonnets tricolores, fouets en réglisse, médailles de gomme à l'effigie des généraux. Les petites épicières-mercières qui les leur vendirent, par un fil ténu demeurent liées à leur destin.

L'écheveau de leur vie se déroule : entre deux coups, ils échangent des chevalières d'or, boivent du Vichy et de l'alcool, empruntent du feu au spahi qui traverse le débit et dont la maîtresse roulée dans un coin pleure.

Ils s'offrent des villégiatures dans des plages quiètes. On les y voit bâiller exposés au soleil ; parfois en respirant l'air salin, ils retrouvent un vieux goût d'honnêteté.

Ce petit rentier se sent conquis par son voisin de palier à qui il confie : « Quand je me promène, j'ai les mains derrière le dos, elles sont blanches et l'on dit : "C'est un rentier, il a les mains blanches." »

Ancien savetier, il tient propre son veston noir, mais une odeur reste autour de sa personne, car, fort avare, il ne couche jamais dans des draps, mais enveloppé de couvertures et vêtu de vieux habits.

Au médecin à qui un jour on l'avait mené, il avoua : « Vous savez, docteur, je suis vierge, j'ai toujours mon cœur de vingt ans. » Il marche à pied à longueur de jours, va de Vaugirard aux Buttes-Chaumont ou aux Batignolles et revient sur ses pas. Son voisin lui avait prêté un livre sur Jeanne d'Arc, écrit par un simili-mage ; il le rendit en modulant d'une petite voix chantante : « Oh ! c'est pas ça l'histoire, oh ! c'est pas ça. »

Il ne va au théâtre que le 14 juillet à la représentation gratuite. En trente-trois ans, il ne lui a été adressé qu'une unique lettre. Il garde le souvenir d'une tasse de café offerte.

La bêtise solennelle des hommes, leur douceur émue, leur fraternité de quelques instants, leurs signes de croix en traversant les gués où sous les éclairs magnifient les grands paysages terrestres. Dans la pension de famille d'un bourg breton, l'on voit ces vieilles filles en corsage baroque sucer avec une fausse délicatesse de petits os de poulet. Elles en viennent à parler de la valeur respective des tisanes : il faut deux têtes par personne pour la camomille, le tilleul est vraiment trop fade. Par la fenêtre ouverte de la salle à manger l'on aperçoit d'exaltantes vapeurs flotter sur la campagne; au premier plan, les groseilliers à la feuille malade voisinent avec le pois de senteur et l'œillet de poète.

Elles rentreront à Paris avec un grand néant dans la tête. Elles y vivront chichement sans quitter leur quartier jusqu'à ce que juillet échauffe à nouveau la pierre du trottoir. Des maladies d'imagination leur viendront et peut-être des maladies de peau qui feront s'écarter d'elles les clients du café-restaurant au mur décoré de l'affiche figurant des cueilleuses de gentiane.

L'une ressentira un coup au cœur, lorsque rentrant dans sa chambre de la rue Berthe, elle verra allongé sur un des derniers terrains vagues le cadavre d'un homme portant l'ample costume des terrassiers, et qui, seul et malade, s'était endormi là dans la mort une herbe entre les dents.

DEUX BISTROTS DE PARIS

Ce bistrot de la rue de Vaugirard se dénommait : *A la Comète de 1811*. Les premiers propriétaires du fonds, venus de quelque aride province, avaient été contemporains de cette comète et vu filer sa robe à cette même heure où leur fils contemplatif campait dans les plaines d'Europe centrale.

Une veuve à lourd chignon gris tenait la Comète. On l'appelait la mère; sa clientèle se composait presque exclusivement de jeunes gens qui se donnaient le genre artiste. Elle employait toujours de très jeunes servantes qu'elle nourrissait et couchait sans autrement les payer et qui finissaient dans cette demi-galanterie qui se survit au quartier Latin. Dans les après-midi longues, alors que la mère, fumant un ninas, jouait aux cartes avec deux ou trois de ses clients, l'on pouvait voir parfois l'une de ses petites se protéger des attaques galantes des gars en retenant sur sa poitrine, en guise de bouclier, un calendrier réclame de l'« Amer Picon ».

Rue Chanoinesse existe encore un des plus sûrs bistrots de Paris. Il se dénomme *Le Vieux Paris*, anciennement *A la Croix de Lorraine*. Le patron, un Bourguignon petit et trapu, homme à principes, a toujours su dresser ses chiens et se rase la chevelure tous les étés. Sa femme l'aide, de port et de visage distingué, sous un chignon blanc. Il peut nourrir des sentiments tendres pour sa famille et ses amis mais n'aime point en faire étalage. Dans son pays, où il ne retourne qu'à de rares intervalles pour voir ses vieux parents, son nom se trouve par erreur inscrit sur la stèle du monument aux morts de la guerre de 1914-1918 ; durant cette guerre, chauffeur du général Mangin, il voyagea jusque sur les côtes balkaniques, et là goûta des omelettes aux œufs de tortue géante. Il peut de sa fenêtre, en mangeant un de ses fromages macérés dans l'alcool qu'il confectionne, contempler les tours de Notre-Dame dans la brume et dans le soleil ; il connaît la faune des clochers, dénonce la rareté croissante des hirondelles, fait remarque tous les trois ou quatre ans d'un nouveau quidam qui s'est jeté du haut de la cathédrale ; il vend de bons vins de pays sans mélange.

Il subsiste, au *Vieux Paris*, sur des étagères et en manière d'ornement, toute l'ancienne verrerie des bistrots parisiens à la fin du XIXe siècle : demi-setiers à côtes, énormes et épais, qui tiennent la mesure, et peuvent sans risque rouler sur un plancher, verres à *mêlé-cass* à côtes fines et à cul enflé. Pour l'actuel service du plat du jour, les anciennes tasses à café à bord incurvé garni d'un filet bleu servent de pots à moutarde.

Le comptoir du *Vieux Paris* en magnifique étain décoré d'une bordure de pampres fait époque ; sa fontaine est surmontée d'un moissonneur de bronze ; une fine décoration Directoire orne la glace de fond. Dans un aquarium encastré au mur nagent de petits poissons de Seine, dons de mariniers et d'agents de la fluviale.

Ce bistrot de Paris s'enveloppe de magnifiques silences en ces heures où le patron dort, réveillé parfois brusquement par le grondement d'un chien qui rêve, alors que dans le Marais, de l'autre côté de l'eau, une nonagénaire revoit des parterres de rois.

PRÊTRES

L'on voit parfois de vieux prêtres mal soignés et qui ramassent le long des rues tout ce qui brille : du papier d'étain, un clou. Une de mes belles amies s'étonnait qu'on ne s'occupât pas de les hospitaliser, considérant qu'ils en arrivaient à déshonorer le clergé. Je lui répondis qu'aux yeux de catholiques ils pouvaient être de grands ministres et conducteurs d'âmes, qu'on hésitait alors à les faire entrer dans des maisons de retraite et qu'eux-mêmes se refusaient à y entrer.

Par ailleurs, beaucoup de prêtres parisiens ont tout à fait l'air de fermer les yeux aux misères discernables qui les entourent. Combien n'en voit-on pas dans le métro de ces prêtres au regard fonctionnaire chercher d'un regard trop désireux une vacance de place ! L'ineffable n'est plus que dans le très léger papier à tranche dorée de leur bréviaire, qui ravissait nos enfances songeuses.

Néanmoins, on voit encore sous le ciel de printemps ou d'automne quelque ecclésiastique savant passer sur le pont des Arts et remettre en soulevant son chapeau deux ou trois sous au mendiant accordéoniste.

Sympathiques sont ces jeunes et solides vicaires de province qui l'été arrivent des terres pour faire des remplacements. Pour profiter des plaisirs de la capitale, ils vont parfois ensemble au cirque qui, à la différence du théâtre, reste permis aux ecclésiastiques. Ils sortent du service militaire où ils savaient souvent se faire respecter : dans les chambrées, ils restaient impassibles et le front égal devant les grossièretés que débitaient leurs camarades à qui ils donnaient toujours volontiers un coup de main, et nul ne les empêchait de s'agenouiller au pied de leur lit pour la prière du soir.

A côté du prêtre d'intense charité et du prêtre fonctionnaire, Paris abrite le dévoyé dont on ne sait pas bien s'il fut ou non valablement ordonné, et le mauvais qui a tourné en usurier et qui vous offre, par un soir où menace l'orage, alors qu'on entend la lugubre sirène de la voiture des pompiers passant sous ses fenêtres, une commission sur la vente possible de son calice de première messe.

MÉTIERS

Les jardiniers du marché de la cité, leur commis et le vendeur d'oiseaux interdits s'avèrent pleins de calme dans l'heure de midi près du fleuve. Ils sortent de gros couteaux, coupent le pain et la viande froide.

Cependant, les livreurs du *Bazar de l'Hôtel de Ville* retiennent leurs chevaux qui se cabrent, puis ils descendent de voiture, vont vers le bistrot et parlent maintenant de premières pousses que va tuer la gelée blanche dans leur lopin de banlieue. L'âne du rempailleur brait, son maître sonne du clairon, mais les brumes restent aussi fines.

Les fleuristes à milords offrent des violettes. Le chauffeur de taxi bat la semelle sous les arbres givrés. Il sent avec satisfaction l'enveloppement réconfortant du gros tricot brun que lui a confectionné sa mère durant ces longs jours où, de temps en temps, elle regardait couler l'eau sous le pont de Grenelle.

Le chiffonnier plein de vin soleilleux crochetant dans les poubelles : vision difficile à détruire. La gent chiffonnière mange et boit bien ; si l'oripeau se fait plus rare, Paris reste pourtant la belle à la ceinture dorée. Le chiffonnier le sait ; il a notion des fausses gemmes, pourtant, une fraction de seconde, une tête de hareng vieil or et bronze éblouit ses regards. Il sent monter ouragans, orages et embellies.

La boulange garde des survivances : la bécane des mitrons s'orne parfois d'une pelle de four miniature. Le blason des boulangers s'énonçait ainsi : de sable à deux pales de four d'argent chargées de trois pains de gueules ; celui des seuls boulangers du faubourg Saint-Germain : d'azur à un saint Honoré d'or tenant de sa dextre une crosse de même et de sa senestre une pale de four d'argent chargée de trois pains de gueules.

Les boulangères soignées et accortes s'imprègnent de fine farine ; or la farine adoucit le regard des pires, des stropiats, des terreurs, et vêt de douceur ma boulangère. Celle-ci ne se lave que lentement, très posément devant la fenêtre riante ou sombre; elle ne redoute pas les eczémas, les plaies vives; qu'ils lui adviennent, elles les reçoit comme les stigmates.

Le sellier peut être de grande classe comme tel de la rue des Martyrs. Celui-ci fignolait tout un jour les selles de beau cuir; le soir venu, il buvait beaucoup, jamais d'apéritifs, point même d'alcool, toujours du rouge. Quand il rentrait dans sa chambre travaillé par l'aramon, il se couchait tout vêtu sur son lit, et, d'une main abandonnée, laissait choir sa casquette dans la ruelle. D'un seul somme il dormait, et l'aurore venue, bellement réveillé, d'un geste précis, reprenait sa casquette tombée, prenait pied sur le plancher et retournait à ses travaux. Son talent fit qu'on lui proposa d'aller en Amérique; il y fut et y mourut – les gens de son quartier prétendent que ce fut du régime sec d'alors – dans un très confortable hôpital sous un ciel éminemment étranger.

Le typographe affilié à la maçonnerie porte barbe longue, blonde et fine. Des borborygmes causés par la mauvaise friture grouillent toujours dans ses viscères. Sa blouse noire compose avec l'étain du comptoir où il consomme et la robe écrue de la passante inconnue et curieuse une harmonie d'une subtilité égale à celle faite des goûts diversifiés que prennent les gros vins dans le jour finissant.

BANLIEUES

Les autocars de noce revenant de Robinson, la nuit tombée, appartenant chacun à des entreprises différentes, rivalisent de vitesse, s'acharnent à se dépasser et se dépassent tour à tour, les conducteurs se piquent au jeu.

Le long du parcours, les arbres blancs de fleurs chatoient; dans le car, une chaîne d'or se déploie sur une robe de soie : la grand-mère porte encore un esclavage.

Ce sont les banlieues à jardins; du matin au soir, elles vivent dans la confusion. Vers neuf heures du matin, l'on aperçoit des coins de table ronde avec un grand bol blanc et un croissant auquel des dents ont mordu. Les cyclistes ont fui dans la buée argentée. Un chien empoisonné râle derrière la grille d'une villa.

A midi, un couple mâche avec peine devant les

oiseaux empaillés qui ornent la cheminée; le médecin entre et semble marron, la boue a éclaboussé son pantalon tissé de trois fils différents. Il a reconnu la maison à ses volets ocreux, à ses roses soufre.

L'après-midi des jours d'hiver, l'homme, un ancien prêtre qui fait du contentieux, vient, le nez chevauché de lunettes cerclées d'or, respirer sur son seuil. C'est juste à ce moment qu'arrive son ancien disciple tué par les veilles, la faim et le mal d'yeux, et celui qui a toujours les pouvoirs tend vers lui ses bras pris dans des manches noires. Ils se retrouvent comme autrefois dans la ville grise et méchante à l'heure des hargneuses disputes théologiques, lorsque les index gras et soignés, auxquels se mêlait parfois un index long à l'ongle endeuillé, se posaient sur des textes d'encycliques; l'évêque fleurait le fin tabac et avait des yeux froids de pierre bleue. Le maître et le disciple s'embrassent donc, un coq chante quelque part, une voiture de livraison s'ébranle sur la route sèche, autour d'eux la banlieue de Paris apparaît infiniment pure.

Le soir venant, dans les bureaux de poste qui sentent la classe, des chevelures brillent derrière les guichets, beaucoup de dames des postes se sont gardées pures malgré l'ordure des conversations téléphoniques s'échangeant entre propriétaires de villas qui gardent souci de festoyer conformément aux usages de la grande et vieille noce ; que de postières furent pourtant de bonne heure souillées ; mais celle-là, dont je veux parler, rentrée dans sa chambre aux senteurs de musc et de violettes séchées, laissera enfin tomber ses mains à ses côtés devant son orgueilleuse psyché, mais peu de temps, car ses doigts depuis plus de vingt ans identiquement bagués joueront tristement avec la dentelle de son corsage vers quoi elle abaissera sa tête au double menton affermi.

Les banlieues s'allument doucement, la blouse soutachée de rouge du dernier allumeur de réverbères remue au vent du soir. Les repas des vieux ménages s'ordonnent, le chat miaule à la lente arrivée sur la table de la soupe au lait, des côtelettes, du fromage blanc ; un bruit de trombone sort d'une petite maison, une tourterelle roucoule.

A la nuit, le fils prodigue aux allures de petit crevé vient faire à la servante noiraude des propositions dans sa chambre meublée de peuplier ; sur le refus qu'elle lui oppose, une lutte s'engage ; la servante bretonne apporte dans ce corps à corps la force des grands archanges.

Dans les trains de jeunes veuves tiennent de gros bouquets et leur enfant sur les genoux, femmes d'un peu d'embonpoint au regard frais et si bon, un petit chapeau d'où tombe le voile posé sur leur chevelure blonde. Alors se meurent les dernières traînées de soleil, les maigres bouquets d'arbres s'assombrissent ; les gares se succèdent avec leurs lumières clignotantes éclairant parfois des graviers, des édicules, des parterres.

A Villennes-sur-Seine, montent dans le compartiment des garçons et des filles aux bras et jambes nues qui rient et chantent.

Les banlieues cachent des chapelles privées, des enfants volés ou martyrs. Sous un horizon plein de la réverbération du ciel de Paris ce sont à Fontenay, des roses, ailleurs des usines qui fabriquent du vitrail d'église, ailleurs encore des potagers roussis où les raves sortent à fleur de terre leur collet vert.

DERNIÈRES VISIONS

La grenaille des haricots tombe dans le sac en papier tenu par les mains fibreuses d'une vieille femme en jupon couleur de lune. Les boîtes de sardines ont un luisant traître ; en les ouvrant avec une clef toujours trop petite pour leur dimension, le pauvre garçon qui mange seul dans sa chambre s'écorche parfois les mains, d'où s'ensuit une plaie mauvaise. Un courtaud nerveux et faible voit presque rouge en percevant le bruit que fait, en se cassant, un tuyau de macaroni aussi dur et fragile que les artères de son voisin qui gesticule de ses mains longues.

Dans d'humides rues, aux étals, miroitent des poissons à odeur légèrement ammoniacale ; dans des paniers s'entassent des choux à jus lymphatique, car ce sont produits d'épandage. A l'entrée d'un couloir sombre, un petit cousin de campagne apparaît qui mord à même une carotte crue.

Le long des berges, un vieillard rase son compagnon rayonnant dans sa peau dorée. Ce vieillard fut charpentier des Flandres, et la précision des assemblages a rendu ses mains délicatement humaines et son regard clair. Tout près d'eux, les bras repliés derrière la nuque, un homme dort et la ville le berce comme une mère pleine d'indifférence. Devant de pareils spectacles la tendresse s'insinue dans la carcasse humaine, les harmonies s'ébranlent. En font partie le flamboiement des Louvres, les arbres tors et penchés et le chuchotement d'une conversation fraternelle sur le pont d'Austerlitz où des chômeurs habilement se construisent de petites maisons de pierre.

A Saint-François-Xavier, sur le coup de trois heures, pendant les vêpres, les deux suisses dans une des chapelles latérales se sont assis tranquillement côte à côte et discutent comme au bistrot. L'un tient la canne à pommeau entre ses jambes écartées, l'autre l'a posée en travers sur ses genoux réunis.

Dans leurs redingotes noires de petite tenue à parements amarante et leurs contre-épaulettes, ils apparaissent comme de Daumier, qui eût pu les représenter lissant leurs moustaches, avantageux et paternes, avec près d'eux les vertus théologales, pieds et poings liés.

Paris garde ses petits cafés-hôtels où figurent, en dépoli sur les glaces, amphores, oiseaux des îles et fleurs : lieux qu'aiment leurs habitués parce que ce sont là les seuls où vraiment on les considère.

Dans un de ces meublés où grouillent tant de couples, au bar en bas près du comptoir s'ébat un perroquet du gris le plus suave et qu'on a dressé à répéter de vieilles gauloiseries. Pendant ses silences le perroquet broie des graines de soleil ; le fils de la maison penche les yeux sur un livre ; sous son crâne, à mesure qu'il lit, il semble que se forment les entrelacs d'une fine dentelle.

Là habitent Fernand et sa Julie. Fernand est souvent à sa fenêtre. On le voit quelquefois tourner une marguerite entre ses doigts tandis que, la lèvre en cul-de-poule, il susurre en arrachant chaque pétale : « Je t'aime un peu, beaucoup », en dodelinant de la tête, les poils follets de son torse à découvert dans l'échancrure de la chemise agités par la brise. Julie qui, autrefois, travaillait dans des magnaneries dauphinoises a rencontré Fernand en artilleur pesant, par un midi strié de lueurs sur le cours d'une petite ville de garnison, il lui avait offert ce jour-là une glace à la vanille agrémentée d'un baiser qui l'avait imprégnée d'une odeur confondue de cuir, de vin et de métal.

Un savetier sorti d'une invisible échoppe traverse l'avenue des Champs-Élysées. Le hasard veut qu'il assiste à une collision entre une voiture bourgeoise et un taxi. Comme on accuse le chauffeur du taxi d'être fautif, sans avoir rien vu il prend sa défense et s'écrie à plusieurs reprises plein de la magnifique assurance que lui donnent son tablier de cuir, ses mains noires, son dos voûté, ses cheveux gris, et sa chevrotante voix : « Un chauffeur de taxi n'est point un esclave, un chauffeur de taxi n'est point un esclave. » Comme c'est un jour de *Memorial Day*, de petits drapeaux américains flottent à la façade du *Claridge-Hotel.*

Dans le métro, sous le gouvernement d'une énorme mère solidement charpentée, un enfant boursouflé aux yeux rouges chante, rit, tire la langue et se gratouille.

Cette femme porta dix enfants dans ses flancs, ils naquirent les uns à Clichy, les autres à Levallois, les autres rue du Commerce. Elle a compté des choux-fleurs aux petits matins bleu rose. Elle va, vient dans Paris sur qui soufflent les brises. On l'eût pu voir au milieu des allégories, boire au cœur de l'hiver l'eau froide des fontaines Wallace. Au-dessus d'elle des avions volent haut, qui dépasseront les murailles de Chine.

DEUX INÉDITS

NOTE DE L'ÉDITEUR

Jean Follain tenait beaucoup à la réédition de ce Paris, *qui occupait selon lui, parmi ses livres, une place secrètement centrale. Deux mois avant sa mort accidentelle, il avait décidé d'en revoir le texte. C'est en suivant scrupuleusement ses indications que l'on a mené à bien cette réédition.*

De même a-t-on jugé intéressant de joindre au présent volume deux courts textes inédits, l'un et l'autre annonciateurs du même projet. Le premier, écrit d'un trait de plume sur le papier à lettre de la brasserie Dupont-Barbès *(quartier où habitait alors Jean Follain), fait allusion à un livre futur dont le titre aurait été* Une journée à Paris *; il est de 1930. Le second, intitulé* Prolégomènes, *date des premiers mois de 1934.*

J'entreprends d'écrire un livre intitulé : *Une journée à Paris*.

Je me réveille le matin vers cinq heures, au chant du coq. L'ivresse est bue et toute honte. Un moment, un verger vermeil constelle les murs. Puis les grappes et les pêches s'en fondent. Natal soleil, natal soleil (voir dans les géographies le Natal et le Népal), tu n'es plus ! Ô grand-mère, grand-mère, il faudrait être un de ces génies de l'humanité aux simples phrases pour t'évoquer.

S'il n'y avait pas dans le monde feu Jarry, P. Mac Orlan, Salmon, Jacob, que deviendrions-nous ?

Les rideaux pendent lamentablement que ma mère me donna. Le plafond n'a point de caissons. On n'y a pas non plus peint d'hirondelles.

La table de toilette est là, sévère et sérieuse, boiteuse marmoréenne, Vénus de Milo boiteuse ; point de femme pour se refléter dans la glace, pour y tendre un corps arqué d'où fluent deux seins doux et vaguement bleus, vaguement bleus.

Tout est sale du rasoir jusqu'à la brosse à dents. Une prétentieuse garniture de toilette faite pour évoquer l'aristocratie évoque le Second Empire, les *Femmes de fonctionnaires*, Courteline, Delobelle.

Les cœurs sont partout suspendus par des ficelles viscérales. Des livres s'étalent : *Phèdre*, Bossuet, *Le Chevalier Des Touches*, Veuillot le fils du tonnelier, défenseur du droit d'aînesse, plaideur pour Rome contre Paris, Veuillot à la larme salée. Elle pénètre, la douceur crapuleuse du matin ; l'aube lustrale est morte. D'hypothétiques outils à ongles, des peignes, des peignes jusqu'au sang, des peignes allant jusqu'à l'enfance luisent dans le souvenir. L'éponge de la passion suinte l'eau fraîche, hélas rien qu'en pensée.

Corps soyeux si loin sur les routes du monde. Quand j'en ai trop faim, quand j'ai trop faim d'une vie monumentale et constellée, j'évoque un pistolet braqué sur ma tempe lilas, j'évoque une corde de chanvre suspendue au piton rouillé fiché au plafond gris royal, mais jamais une pensée de suicide ne m'effleure.

PROLÉGOMÈNES

Au temps où l'enfant penché sur un vieux plan datant de l'exposition de 1878 faisait des voyages imaginaires, le bruit du vent dans le feuillage était d'une qualité rare, mais n'empêchait point le tictac de l'horloge. Il apportait une mélancolie merveilleuse mêlée au goût de la vie et de l'aventure.

Chaque arrondissement de Paris était teinté de belles couleurs pastel ; souvent à mon agacement – j'étais un enfant nerveux et malhabile – le vieux plan se dépliait mal, se cassait aux plis. Parfois, pendant les ouragans, une tuile tombait d'un toit. Il y avait beaucoup de toitures en chaume couvertes d'un buisson de fleurs et l'on disait que dans les cyclones, certaines de ces toitures avaient été arrachées entières.

Mon grand-père maternel, notaire de campagne, mort avant ma naissance, se promenait dans le bourg de son village en redingote, cravate blanche et sabots garnis de paille. En 1889, il avait été à Paris avec ma grand-mère en voyage de noces. J'imagine avec grandeur le reflet de la ville dans les yeux de cet homme qui se laissait aller à prêter sans exiger de reconnaissance. Logés à l'*Hôtel du Louvre*, de leur lit la nuit, ils avaient entendu crier dans la rue : « A l'assassin ! A l'assassin ! »

C'est à travers les images du *Petit Journal illustré* que j'ai d'abord vu Paris. Je me souviens de celle du banquet donné en 1900 à tous les maires de France ; ils étaient représentés arrivant dans la salle du festin entre une double haie de gardes républicains ; on pouvait voir un maire paysan en blouse bleue, un maire curé, un maire breton passementé, tous portaient l'écharpe. Une autre image représentait certains de ces magistrats recueillis doucement par la police, parce que saouls d'avoir été trop bien traités au banquet ; comme au temps de Baudelaire rentrant chez lui par des rues tragiques, les sergents de ville portaient un coupe-choux au côté.

Puis je connus Paris par François Coppée. Le bon Coppée souvent méchant poète a laissé une vision de Paris adoucie et comme nimbée, un Paris habité par de bons pauvres et de grands seigneurs ayant des suisses pour garder leurs hôtels.

Je dois aussi évoquer un *Petit guide Diamant* portant le millésime 1882; j'aimais y lire le chapitre consacré aux spectacles. On y mentionnait le théâtre des Funambules et ceux de prestidigitation, les genres différents joués par chaque établissement : tragédies, drames, vaudevilles, féeries, opéra bouffe.

Quand je fis le voyage de Paris, je portais un bonheur rayonnant. Le train traversait à la tombée du jour ces banlieues qui me sont apparues depuis recélant des chapelles privées et des cours mystérieuses où tristement jouent des enfants volés; je contemplais les fumées traînant sur des potagers roussis.

Je sentis à mon premier contact cette odeur de grande ville, que je n'ai jamais bien retrouvée depuis. Je passai près d'un adolescent cachant au creux de sa main un morceau de pain, et je le vis humer un très court instant la peau d'une femme parfumée à la violette.

Tous ceux qui aiment vraiment Paris trouvent un jour une étoile. Je sais bien que dans un roman charmant, Delobelle montre le poing à la ville qu'il regarde des hauteurs de Montmartre; c'est de là aussi que Rastignac rêva de femmes belles et suaves, d'or et de puissance, mais Balzac eut beaucoup plus que cela; par les nuits froides, j'aime à penser que son haleine sur la vitre lui paraissait plus somptueuse qu'aucune tenture d'Opéra. Les arômes de café se dissipaient, harassé par son travail d'Hercule, il se couchait et tenait alors Paris dans son énorme main, comme un enfant voulant être sûr de bien la posséder eût tenu une étoile.

Dans ces temps du quartier Latin où je portais grand chapeau jamais brossé et cheveux longs, entrant dans un petit café, je vis un homme devant un verre noirâtre qui dit avec une satisfaction évidente et sans aller plus avant : « Tiens, voilà un poète. » Ce fut tout.

Une divinité se cache en toi, Paris : c'est la mer des ténèbres ; parfois le soir rien ne se résout, tout se perd et meurt, se cache et parlemente avec la nuit miraculeuse. Qui n'a admiré la surprenante beauté des uniformes voués au poteau d'exécution ?

La Ville de Paris conserve un gobelet attaché par une chaîne à ses fontaines Wallace décorées de femmes drapées, mais une photographie à but éducatif du musée de l'Hygiène nous apprend qu'il ne faut point s'en servir pour étancher ses soifs.

Il se peut que le flâneur loge dans un minuscule appartement du plus lointain Vaugirard ; rentré chez lui, la tête entre ses mains, il n'entend plus aucun bruit si ce n'est à de longs intervalles le léger craquement d'une armoire dont le bois travaille ; trompant sa solitude il jouit peut-être un instant de la blancheur du papier sur lequel il déroule une écriture disloquée ; écœuré de l'injustice des hommes, il éprouve un dégoût pour cette femme au corps luxuriant qui ne lui paraît plus qu'une harpie.

TABLE

ŒUVRES DE JEAN FOLLAIN

Cinq poèmes, avec cinq gravures d'Antoine Poncet, Éditions de la Rose des vents, 1932.

La Main chaude, avec une introduction d'André Salmon, Éditions Corrêa, 1933.

L'Année poétique, 1re livraison, Édition des Trois Magots, 1934.

Huit poèmes, « Les Cahiers des poètes », Éditions Debresse, 1935.

Paris, Éditions Corrêa, 1935.

La Visite du domaine, avec un dessin de Géa Augsbourg, Éditions G.L.M., 1935.

Le Gant rouge, « Les Feuillets de Sagesse », Éditions Sagesse, 1936.

Chants terrestres, Éditions Denoël, 1937.

L'Épicerie d'enfance, Éditions Corrêa, 1938 ; rééd. Fata Morgana, 1986, avec un portrait par Alfred Gaspart ; 1999, avec une postface de Gil Jouanard.

Poètes, 1re livraison, avec une introduction de Yanette Delétang-Tardif, Éditions La Peau de chagrin,1941.

Ici-bas, « Les Cahiers du Journal des poètes », Éditions de la Maison du poète, 1941.

Canisy, Éditions Gallimard, 1942, 1986.
Inventaire, Éditions Debresse, 1942 ; rééd. Éditions Gallimard, 1983.
Usage du temps, suivi de *Transparence du monde*, Éditions Gallimard, 1943 ; collection Poésie, 1983.
Exister, Éditions Gallimard, 1947 ; collection Poésie, 1969.
Chef-lieu, Éditions Gallimard, 1950.
Les Choses données, Éditions Seghers, 1952.
Territoires, Éditions Gallimard, 1953.
Palais souterrain, réalisé par la Société Pab, 1953.
Objets, Éditions Rougerie, 1955.
Choix de textes, présentation d'André Dhôtel, « Poètes d'Aujourd'hui », Éditions Seghers, 1956, nouvelle édition 1972.
Tout instant, Éditions Gallimard, 1957.
Saint Jean-Marie Vianney, curé d'Ars, Éditions Plon, 1959 ; rééd. Éditions Fata Morgana, 1987.
Des heures, Éditions Gallimard, 1960, 2003.
Notre Monde, avec des illustrations de Flora Klee-Palyi. Éditions R. Atteln, Wulfrath, Rhénanie, 1960.
Poèmes et prose choisis, Éditions Gallimard, 1961.
Appareil de la terre, avec des illustrations de Charles Lapicque, Éditions de luxe Galamis, 1961 ; rééd. Éditions Gallimard, 1964.
Le Divorce et la séparation de corps, Éditions Sirey, 1962.
Cheminements, Éditions du Club du poème, Genève, 1964.
Pérou, Éditions Rencontre, 1964.
Célébration de la pomme de terre, Éditions Robert Morel, 1966 ; rééd. Éditions Deyrolle, 1997.
Nourritures, avec des illustrations de Carzou, Éditions de luxe Groupe Libre Création, 1965.
Petit glossaire de l'argot ecclésiastique, Éditions Pauvert, 1966.

Napoléon, Éditions Hermès, 1967.
Pierre Albert Birot, « Poètes d'Aujourd'hui »,
Éditions Seghers, 1967.
D'après tout, Éditions Gallimard, 1967.
Exister, suivi de *Territoires*, avec une préface de Henri Thomas,
collection Poésie / Gallimard, 1969.
Approches, avec des illustrations de Lydie Chantrell,
Éditions de luxe Vodaine, 1969.
Éclats du temps, avec des illustrations de Staritsky,
Éditions de luxe G. Duchêne, 1970.
Espaces d'instants, Éditions Gallimard, 1971.
Pour exister encore, avec des sérigraphies de Claude Maréchal,
Éditions Silium, 1972.
Collège, avec une préface de Marcel Arland,
Éditions Gallimard, 1973.
Comme jamais, Éditeurs français réunis, 1976.
Falloir vivre, avec une illustration de Jacques Damville,
Éditions Commune mesure, 1976.
Trois bois gravés pour trois proses de Jean Follain,
avec des illustrations de Jean Coulon,
Éditions Commune mesure, 1976.
Le Pain et la Boulange, Éditions La Feugraie, 1977.
Présent jour, avec des illustrations de Denise Esteban,
Éditions Galanis, 1978.

Cet ouvrage,
réalisé pour le compte des Éditions Phébus,
a été reproduit et achevé d'imprimer
en novembre 2008
dans les ateliers de Normandie Roto Impression s.a.s.
61250 Lonrai
N° d'imprimeur : 08-3786

Imprimé en France

Dépôt légal : octobre 2006
I.S.B.N. : 978-2-75-290213-9